YOUCAT
Curso de fe

Una introducción
en 26 capítulos

D1248064

YOUCAT

Qué es ser cristiano

Una introducción
en 26 capítulos

EN
CUEN
TRO

Contenido

Los símbolos y su significado

 Preguntas del YOUCAT

 Citas de santos o famosos

 Citas de las Sagradas Escrituras

 Curiosidades y anécdotas

 Preguntas de «Tuiteando con Dios»

Curso de fe, ¡ahora!

En chino, «crisis» y «buena oportunidad» se escriben con el mismo símbolo. Hay quien dice que la Iglesia católica se encuentra en la crisis más profunda de los últimos 500 años. Entonces ¿por qué no decimos que la Iglesia católica está ante una «buena oportunidad» para renovarse?

¿Qué pasó con los primeros cristianos? En la *Carta a Diogneto* del siglo II leemos lo siguiente: «Habitan en su propia patria, pero como forasteros; toman parte en todo como ciudadanos, pero lo soportan todo como extranjeros; toda tierra extraña es patria para ellos, pero están en toda patria como en tierra extraña. Igual que todos, se casan y engendran hijos, pero no se deshacen de los hijos que conciben. Tienen la mesa en común, pero no el lecho. ... Obedecen las leyes establecidas, y con su modo de vivir superan estas leyes. ... Se los condena sin conocerlos. Se les da muerte, y con ello reciben la vida. ... Los cristianos son en el mundo lo que el alma es en el cuerpo».

El entorno decadente de las antigüedades griegas y romanas se desvencijó ante el ímpetu de los primeros cristianos. Los discípulos de Jesús, en un par de generaciones, pusieron del revés el mundo conocido hasta entonces. De ahí que nosotros, los cristianos católicos del siglo XXI, nos tengamos que preguntar cómo recuperar el resplandor que un día tuvimos. Es decir, ¿en qué consiste una «buena oportunidad»? Pues bien, pongámonos a la altura de los primeros cristianos y veamos ante todo qué tenían aquellos y cómo eran: primero, tenían personalidad; segundo, eran ardientes, tercero, eran valientes.

¿Cómo se logra tener personalidad? Mostrando valor para ser diferentes. Algunos recomiendan que la Iglesia «se normalice», deje de hablar de milagros, oculte lo extraordinario, corrija ciertas aristas, reduzca sus exigencias y se adapte al mundo en el que vivimos. ¡Es absurdo! ¿Qué asesor le pediría a Mercedes Benz que construya coches normales, que ignore los avances tecnológicos y que copie modelos de un fabricante mediocre?

Los primeros cristianos se atrevieron a ser *exigentemente diferentes* y mostraron un interés ardiente por conocer su fe. Esto los alejó de sus contemporáneos e hizo que se cuchicheara, que se hablara mal de ellos y que se los persiguiera. Y a pesar de ello no dejaron de crecer los seguidores de ese «camino nuevo». Pero lo más sorprendente de la recia identidad de estos primeros cristianos es que no veían su fe como una hipótesis bonita. No es que creyeran porque les gustaba tener fe, sino que su fe era auténticamente verdadera. Y si era necesario, hasta aceptaban ser arrojados a los leones por ella.

El libro que marca la personalidad de la Iglesia católica es el Catecismo Universal, y que se ha recogido recientemente en una versión más accesible llamada YOUCAT. El Catecismo enuncia con claridad la fe común de la Iglesia, no busca falsos acuerdos; por ello no les gusta demasiado a los «estrategas» que quieren renovar la Iglesia. El obispo Stefan Oster desató un cierto malestar al decir que él, como obispo, quería luchar por la integridad de la fe y consideraba que los contenidos del Catecismo eran verdad: «Todos, y además desde un punto de vista teológico y filosófico».

Muchos católicos ya se han dado cuenta: es hora de adquirir una personalidad y una identidad clara como cristianos.

➡ *Curso de fe: qué es ser cristiano* es para todos aquellos que sientan la necesidad de contemplar la belleza y el resplandor del Evangelio.

➡ Su autor ha querido narrar los puntos centrales de la fe con el mismo *suspense* de las buenas películas.

➡ Junto al texto aparecen las preguntas del YOUCAT (con una Y), que son como los peldaños de una escalera hacia las profundidades de la fe. Mientras se lee el libro, si se quiere, se puede profundizar en la fe siguiendo estos pasos.

➡ El *Curso de fe* se puede hacer en solitario. Ahora bien, siempre será mejor compartirlo con amigos, vecinos o gente de la parroquia. Como mejor se llega al convencimiento es dialogando, por ejemplo, en un grupo de estudio.

➡ En la página 170 de este libro puedes leer cómo se organiza un grupo de estudio y cómo descargar la aplicación *Guía de estudio YOUCAT* en tu móvil.

Posdata. Son todavía muchas las cuestiones que hay más allá del catecismo. YOUCAT se complementa bien con las preguntas que los jóvenes remiten al sacerdote Michel Remery en «Tuiteando con DIOS». Algunas de estas preguntas las encontrarás en este libro, y son aquellas a las que acompaña el símbolo de ✈ . Puedes conocer mejor esta fantástica iniciativa en la página 180.

¿Qué sabemos de Dios?

Aquí vas a descubrir

la pregunta de cómo al ser humano se le puede ocurrir la locura de que más allá de las piedras, de los animales, de las plantas y de sí mismo haya algo extraterrenal con lo que poder entenderse.

Pregunta 41: ¿Las ciencias naturales hacen innecesario al Creador?

Así se lo preguntó el filósofo **F.W.J. Schelling** (1775–1854): «¿Por qué hay en general algo en lugar de nada?»

Pregunta 23: ¿Hay contradicción entre la fe y la ciencia?

Pregunta 355: ¿Qué significa «no habrá para ti otros dioses delante de mí»?

El ser humano siempre ha sido un ser «religioso». No creo que haya ningún pueblo ni cultura en el que no se haya venerado algo divino, a uno o a varios dioses. La primera pregunta de la filosofía a día de hoy sigue siendo por lo general «por qué hay algo», y no «por qué no hay nada». Aun así, la respuesta a ambas preguntas es parecida: casi todos acaban reconociendo que cuesta imaginar una realidad sin Dios. Y esto no es algo que alteren demasiado los nuevos avances científicos, por ejemplo las teorías del *big bang*, del azar y la necesidad, o de la aparición y del desarrollo de la vida humana.

Los testimonios más antiguos que tenemos de la religión son ya muestras de respeto, de belleza y de agradecimiento. En este sentido, al creador y preservador del universo se le ofrecen flores, se le perfuma con aromas y, como misterioso autor del todo, se le erigen templos magníficos. Lo «divino» fue siempre algo poderoso y muy fuerte, aunque... ¿necesariamente también algo *bueno*? A la vida siempre le acompaña una combinación de dichas y de desdichas. Por este motivo, las representaciones que los antiguos hicieron de Dios reflejaron también muestras del miedo, ya que no dejaron de preguntarse si acaso lo divino también podría hacerles daño. Aquellos primeros humanos lo presentían ya: ellos no eran los creadores de sus propias vidas. Y se dieron cuenta además también de que sus vidas eran tan frágiles como el fuego de una vela

" Ningún avance científico me ha apartado de la fe. Todo lo que aprendí del saber científico me llevó sin más a la admiración y al agradecimiento hacia mi creador.

Cardenal Christoph Schönborn (*1945) Arzobispo de Viena

en medio de una corriente de aire. Es decir, en cualquier momento se puede apagar, porque el peligro nunca cesa. Notaron también que no se podían alterar el tiempo meteorológico ni la fertilidad de los suelos. Se preguntaron adónde irían a parar los muertos. Y sintieron estar en manos de poderes superiores. Pensaron que con los sacrificios podrían influir en las decisiones de estos poderes superiores. Es decir, que si les daban lo mejor que tenían, estos poderes superiores les serían favorables. Así que empezaron a hacer a su dios (o dioses) ofrendas de fruta y de animales, e incluso sacrificios humanos. Pensaban que la relación con lo divino se regía por una especie de ley de dar para poder recibir a cambio.

Pregunta 30: ¿Por qué creemos en un solo Dios?

Pero sabemos que el pueblo de Israel reaccionó de otra manera ante los asuntos divinos. Leer el Antiguo Testamento es en este sentido como asistir a una *historia del aprendizaje sobre Dios modélica*. Aquí vemos cómo Israel abandona el politeísmo propio del antiguo Oriente y cómo «dios» puede ser solo uno.

Al sol, a la luna y a las estrellas, que los pueblos vecinos alabaron todavía como deidades, se las llama en la Biblia sin más «lumbreras en el firmamento del cielo». Abrahán aprende que Dios está ahí, que se puede hablar con Él y que no quiere sacrificios humanos. Así lo dicen los Salmos: «Los sacrificios no te satisfacen: si te ofreciera un holocausto, no lo querrías» (Sal 51,18). ¿Por qué? Porque lo que a Dios le gusta de verdad son los corazones puros (→ Sal 51,12). Lo que quiere realmente es que seamos buenos y justos, porque Él es la bondad y la justicia. Entonces ¿cómo llega el mal al mundo? ¿De dónde proceden el odio, la violencia, la culpa, la muerte, las lágrimas de los niños y el sufrimiento de animales inocentes?

 Salmo 51

Pregunta 357: ¿Es el ateísmo un pecado contra el primer mandamiento?

Actualmente diferenciamos tres tipos diferentes de relación con Dios: ateísmo, agnosticismo y teísmo.

ATEÍSMO ➡

AGNOSTICISMO ➡

El ATEÍSMO, que en la historia de la humanidad apareció bastante tarde, se apoya en la supuesta certeza de que Dios no existe. El AGNOSTICISMO se limita a decir que el ser humano no puede saber nada sobre Dios con seguridad y que por ello no tenemos que preocuparnos de temas religiosos.

> **99** Explicar la aparición de la vida en la tierra como una casualidad significa pensar que de la explosión de una imprenta salga una enciclopedia

Edwin G. Conklin (1863–1952), biólogo estadounidense

TEÍSMO ➡

Y el TEÍSMO, que sí cree en la existencia de Dios, evita responder qué es «dios» exactamente: ¿un principio, un sentimiento, una razón universal, un espíritu, una persona, algo así como una energía cósmica?

Antes de convertirse al cristianismo, **C.S. Lewis** (1898–1963), autor de las *Crónicas de Narnia*, era *teísta*. Sus reflexiones le habían llevado a descubrir que tenía que haber un dios. Pero aquello no le afectó demasiado y lo dejó pasar como una mera hipótesis más. C. S. Lewis pensaba que era casi imposible contactar con esa «otra cara de la realidad» tan imponente. Pero de repente un día se sintió como si fuera Hamlet, como si fuera un personaje de la obra de William Shakespeare, y notó que estaba representando una obra de teatro que él no había escrito, así que lo comprendió por fin: «Si Shakespeare y Hamlet alguna vez fueran a encontrarse, tenía que ser por obra de Shakespeare. Hamlet no podía iniciar nada». Se podría decir, pues, que la esencia del cristianismo consiste en que el autor de la obra, sin esperarlo, entra en escena y se muestra a sus personajes. Que el Dios insondable sale de su misterio y se muestra tal y como es. Esto es lo que llamamos REVELACIÓN.

La campaña «Autobús Ateo» (foto superior) fue lanzada por la periodista británica Ariane Sherine en 2008 y encontró el apoyo de Richard Dawkins.

Pregunta 7: ¿Por qué tuvo Dios que mostrarse para que sepamos cómo es?

REVELACIÓN

UNIDAD

2

CURSO DE FE

¿Cómo se muestra Dios al ser humano?

Aquí vas a descubrir

cómo Dios, que es grande e inabarcable,

entra en nuestras cabezas limitadas,

y por qué esto es más fácil de entender

a partir de una historia de amor que

mediante interminables libros.

Pregunta 6: ¿Se puede acaso captar a Dios mediante conceptos?

Quien haya vivido una gran historia de amor conoce bien ese momento tan emocionante. Hay un chico o una chica que te gusta, pero no sabes qué decirle, vas y vienes, y te pones colorado cuando por fin te lanzas: «Oye, te tengo que decir una cosa». El corazón se te sale por la boca. Y entonces él o ella te dice que sí, acepta jugársela por ti. Podrías aprovecharte y hacerle mucho daño, pero da igual, porque la persona que te gusta decide *mostrarse* ante ti tal y como es, y te deja que mires en el fondo de su corazón y desciendas a sus cámaras más profundas. Por así decirlo, se la juega, porque si no lo hiciera jamás en la vida sabrías lo que siente por ti.

Pregunta 4: ¿Podemos conocer la existencia de Dios mediante la razón?

Por este motivo no puede haber una historia de amor sin una revelación. Es decir, tampoco podríamos conocer a Dios si no saliese de lo más profundo de su escondite para mostrarse. En otras palabras: Dios permite que entendamos cómo es y qué quiere de nosotros, aunque sea demasiado grande como para que podamos definirlo y captarlo mediante conceptos. Todos los intentos de reducir a Dios a una fórmula son ridículos. Ya dijo el gran filósofo Agustín de Hipona: «*Si comprehendis, non es Deus*». Esto, en una traducción libre, viene a decir que «si lo has entendido (a Dios), entonces eso que crees haber entendido seguro que no es Dios». Más bien habría que decir como Karl Barth: «Solo se conoce a Dios mediante Dios». Un cálculo infinitesimal también desbordaría a una mariposa.

San Agustín (354–430) fue uno de los grandes filósofos cristianos, además de santo. Su biografía, eso sí, tuvo su aquel. Antes de su bautismo vivió en concubinato y tuvo un hijo. Después se hizo obispo.

Pregunta 295: ¿Qué es la conciencia?

Pero ¿cómo podría mostrársenos Dios para que lo entendamos? ¿Con letras de neón en el horizonte? ¿Preferirían acaso los frikis de la ciencia ficción que, ante las cámaras, surgiera de las profundidades del océano como un monstruo extraterrestre? Es ridículo. Claro que esto nos fascinaría, pero a Dios se le encuentra más bien en otro sitio: en las *muchas huellas* que dejan su poder y grandeza, por ejemplo en la *naturaleza* y en la *conciencia*. Cada amanecer que la naturaleza nos regala alzándose en plenitud y belleza

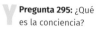

va marcado con el ADN de Dios. Lo sentimos desde en las células más pequeñas hasta en el macrocosmos, todo está perfectamente coordinado entre sí. Y, por el otro lado, está la conciencia. Ella nos suele decir cosas como que *bajo ningún concepto es bueno* pegar a un niño, robar a alguien o engañar. Es como si aquí la voz de Dios nos pidiese lo que quiere de nosotros: sí o sí. Por eso, cuando a veces actuamos en su contra nos cuesta tanto dar la cara ante esa autoridad que de un modo tan misterioso reside en nosotros.

Sentimos a Dios mucho más intensamente aquí que en supuestas experiencias sobrenaturales. Dios es en realidad algo así como la gracia de un chiste, el puntito que te hace cambiar, la contraseña de tu vida. Muchas personas que no se dan cuenta de esto creen que pueden responder sin Dios a la pregunta sobre el sentido de la vida. Pero en realidad se están subestimando si piensan que una vida plena se alcanza pasándoselo bien al máximo antes de acabar en el cementerio.

Pregunta 45: ¿Las leyes de la naturaleza y las ordenaciones naturales también proceden de Dios?

Pregunta 50: ¿Qué papel juega el hombre en la providencia divina?

" Únicamente donde se ve a Dios, comienza realmente la vida. Solo cuando encontramos en Cristo al Dios vivo, conocemos lo que es la vida. No somos el producto casual y sin sentido de la evolución. Cada uno de nosotros es el fruto de un pensamiento de Dios. Cada uno de nosotros es querido, cada uno es amado, cada uno es necesario.
Papa Benedicto XVI, 2005

Lo que sucede con la fe se parece a esos cinco minutos que preceden a la historia de amor. También la fe, como sucede con el amor, lo cambia todo y da color a tu vida. Cuanto te enamoras, el mundo empieza a girar de nuevo. Pues bien, lo mismo pasa cuando crees. Tu creador, tu señor y tu redentor... Él se te aparece de repente y, desde ese momento, empezáis algo juntos. Empieza la aventura. Y al final acabarás diciendo: «¡Desde luego que no sabía lo que era la vida!».

Pregunta 43: ¿Es el mundo un producto de la casualidad?

¿Qué es el ser humano? Los hay que me dicen: *fulanita* conoció a Albert Einstein; fulanito compartió escenario con Michael Jackson; a la canciller Merkel le encanta ir a comer con *tal persona*. Pero ¿qué sucede con quien nunca estuvo delante de las cámaras? ¿Con un niño en la franja de Sahel? ¿Con un anciano demente al que se le cae la baba? ¿Tienen estas personas un valor inferior? ¿Nos ocupamos solo de ellas movidos por un cierto sentimentalismo? No hay lugar ni espiritualidad ni religión en que el ser humano tenga un significado mayor que el que recibe en el judaísmo y en el cristianismo. El ser humano, cada persona, está coronado «de gloria y dignidad» (Sal 8,6), es «imagen de Dios» (Gén 1,27); es aquello a lo que Dios miró con amor eterno, es el interlocutor de Dios cara a cara. «Tus ojos veían mi ser aún informe» (Sal 139,6). Con la *revelación de Dios* se inicia una nueva cualidad de lo humano.

Pregunta 280: ¿Cómo fundamentan los cristianos la dignidad del ser humano?

Pregunta 56: ¿Tiene el hombre una posición privilegiada en la Creación?

Salmo 8; Gén 1

Salmo 139

UNIDAD

3

CURSO DE FE

¿Qué significa «creer»?

Aquí vas a descubrir

la pregunta de si te gustaría vivir tu vida
en solitario, o si crees que hay alguien
ahí que conoce todos tus caminos y
que se alegrará si vas a Él.

En el día a día nos hace falta tener muchísima fe. ¡Muchísima fe! Aunque no tengo nada para demostrar que Islandia existe de verdad, me fío del portal de reservas. Compro un viaje, reservo los billetes y me encamino al aeropuerto creyendo que, en efecto, aterrizaré en Reikiavik. Muy pocas son las cosas que podemos demostrar en la vida. Si le pides a tu chica o a tu chico que te demuestren «inmediatamente» su amor, casi seguro que la relación terminará antes de haber empezado.

Pregunta 12: ¿Cómo sabemos qué es lo que pertenece a la verdadera fe?

Pregunta 21: ¿Qué es la fe?

No hay vez en la que se oiga la palabra «creer» en la que no aparezca alguien diciendo: «*creer no es saber*». Vamos, que te digan que creer es algo de ingenuos, porque la gente inteligente «sabe» las cosas. Se ha acusado

a la Iglesia de que toda su existencia se asienta en suposiciones muchas veces no demostradas; de que la gente en ella tiene que creer. Bueno, hoy ya no se quema a la gente en la hoguera por no creer. Pero tampoco cuela decir que «Dios» es una especie de fórmula matemática. Y si lo es, ¿cómo es que ninguno de estos cerebritos ha dado con la clave para definir tal «nebuloso» concepto? ¿Por qué no conocemos todavía la fórmula de «dios», que es algo tan importante para tantas religiones? Me gustaría que alguien algún día dijese: «La fórmula para entender a Dios es: $e^{i\pi} + 1 = Dios$». Tendríamos por fin una demostración en nuestras manos con la que ahorrarnos eso de «creer». ¡Tendríamos el saber!

Pero supongamos que la fórmula fuese correcta y que poseyéramos el conocimiento. ¿Qué sucedería después de que fuera publicada en *Physical Review*? ¿Se convertiría y se arrodillaría todo el mundo, y veneraría tal fórmula maravillosa? Apuesto que no. La gente diría: «¡Ah!». Y entonces se archivaría la información en algún lugar remoto del cerebro, ahí donde también está archivada la ley de la gravedad. Y tampoco habría nadie que hiciera nada parecido a lo que aquellos 49 cristianos en el año 304, cuando el emperador Diocleciano los capturó e interrogó en Cartago por haber ido a Misa. Se les dio una última oportunidad: que renunciaran a su Dios y que hicieran como que alababan al emperador. Pero no lo hicieron. Su respuesta, por el contrario, fue: «No podemos vivir sin el domingo». Y esto les costó la vida.

Creer, tener fe, es algo mucho más valioso que «estar bien informado» o que «saber cosas». Digámoslo así: no se trata de *saber sobre* Dios, sino de tener una relación con Dios. Tomemos un ejemplo extremo. Alguien se me acerca y me dice a

Pregunta 32: ¿Qué quiere decir que Dios es la Verdad?

1.7: ¿Por qué debería creer en Dios?

Pregunta 454: ¿Hasta qué punto nos obliga la verdad de la fe?

Pregunta 20: ¿Cómo podemos responder a Dios cuando Él se dirige a nosotros?

la cara: «Tu madre es una golfa». Oírlo me indigna profundamente, pero claro, tampoco he ido detrás de mi madre durante los últimos 50 años, de modo que no *puedo demostrar* que mi madre sea la persona más fiel y más amorosa de este mundo. Mi madre y yo tenemos una relación de profunda confianza y jamás consentiría que se manchara su nombre. Pues bien, en el caso de la relación con Dios la *relación de confianza* lo es todo. Es más, la etimología de la palabra «CREER» se remonta a una raíz indoeuropea que viene a decir algo así como «poner en el corazón» *(eubh)*.

FE ➡

Pregunta 22: ¿Cómo funciona la fe?

Y esta es la clave. Creer significa abrir el corazón a Dios, poner a Dios en el corazón. Y este es el corazón que arde cuando cada vez más gente joven descubre el fuego de la fe. Están más cerca de la fe que los sabiondos que escrutan bibliotecas buscando el absoluto.

Creer cristianamente significa confiarse a la inteligencia que me lleva a mí y al mundo, considerarla como el fundamento firme sobre el que puedo permanecer sin miedo alguno.
Papa Benedicto XVI

Uno debe conocer el hombre y las cosas humanas para amarlas. Uno debe amar a Dios y las cosas divinas para conocerlas.

Blaise Pascal (1623–1662), matemático y filósofo

Creer no es un invento de la Iglesia. Y si a alguien se le ocurrió, entonces fue a Jesús. En el Evangelio de san Juan leemos una y otra vez: «El que cree en mí...». ¿Qué le pasa? Pues que «tiene vida eterna» (Jn 6,47), «aunque haya muerto, vivirá» (Jn 11,25) y «hará las obras que yo hago, y aun mayores» (Jn 14,12).

¡Ahí es nada! Con total naturalidad dice que *creamos* en Él. Siempre me ha sorprendido que nadie proteste porque Jesús diga: «Yo soy el camino y la verdad y la vida» (Jn 14,6). «¡Yo!». No es que diga: «Conozco un camino, conozco la verdad, tengo algo de experiencia con la vida». ¡No! Lo que dice es: «¡Yo soy!». Jesús, por tanto, nos deja solo dos alternativas. O bien *le creo* y me lo juego todo a una carta, o bien digo que es un Donald Trump de la religión. «Creer», dice el papa Benedicto, «quiere decir abandonarse a Dios».

Pregunta 71: ¿Por qué se llaman «evangelio», es decir, «buena nueva» los relatos sobre Jesús?

" Si los santos del cielo pudieran regresar a la tierra, prendidos por el amor se centrarían sin descanso en difundir la fe por todo el mundo con el fin de llevar a las gentes de todas partes el amor infinito de Dios. Los santos saben mucho mejor que cualquier habitante del planeta que merece la pena conocer al Padre, al Hijo y al Espíritu Santo. Les conmueve ver con qué grandeza se recompensa en el cielo hasta la más pequeña obra para difundir la fe.

San Vicente Pallotti (1795–1850)

¿Para qué es buena la Biblia?

Aquí vas a descubrir

un tesoro escondido. Un libro que habría que leer
diariamente, ya que tiene más contenido que mil
guías de autoayuda y más sustancia que todos
los demás libros del mundo.

ntes, cuando los monjes escribían con estas hermosas iniciales, la gente normal no tenía acceso a las Sagradas Escrituras en la Iglesia. ¿No es una locura? «Ignorar las Escrituras es ignorar a Cristo», dijo el Padre de la Iglesia san Jerónimo. ¿Cómo es esto posible? Los cristianos normales, sencillamente, no leían la escritura, sino que solo la escuchaban durante la Misa, en pequeñas dosis y con comentarios eclesiásticos.

Pregunta 17: ¿Qué importancia tiene el Antiguo Testamento para los cristianos?

Pregunta 18: ¿Qué importancia tiene el Nuevo Testamento para los cristianos?

Melchor Cano, además de un personaje de *El nombre de la rosa*, fue un inquisidor dominico. Cuando un obispo español dijo en el año 1559 que quería traducir la Biblia al castellano, Cano se interpuso y advirtió de que, si lo hacía, sucedería en España lo mismo que había pasado en Alemania. Allí, apenas 40 años antes, Martín Lutero había traducido la Biblia al alemán. Pero la Biblia no era algo para amas de casa: «Por más que las mujeres reclamen con insaciable apetito comer de este fruto, es necesario vedarlo y poner cuchillo de fuego, para que el pueblo no llegue a él». También a santa Teresa de Ávila, la gran reformadora de la Iglesia durante el siglo XVI, le afectó esta decisión y la hizo sufrir. Una noche, sin embargo, tuvo una visión que la consoló: «Me dijo el Señor: 'No tengas pena, que Yo te daré libro vivo'».

" ¿Qué sucedería si usáramos la Biblia como tratamos nuestro móvil? ¿Si la llevásemos siempre con nosotros, o al menos el pequeño Evangelio de bolsillo, qué sucedería? Si volviésemos atrás cuando la olvidamos: tú te olvidas el móvil —¡oh!—, no lo tengo, vuelvo atrás a buscarlo; si la abriéramos varias veces al día; si leyéramos los mensajes de Dios contenidos en la Biblia como leemos los mensajes del teléfono, ¿qué sucedería?

Papa Francisco

El ataque del inquisidor Melchor Cano no hay que entenderlo como un documento de opresión a la mujer, sino más bien como una agresión al pueblo. Tanto entonces como ahora, el interés de la mujer por la religión es mayor que el del hombre. El miedo de los inquisidores era grande: «Y si se ponen a leer ahora con fervor la Biblia y a discutir sobre ella, y empiezan a salirnos Iglesias nuevas por todas partes?». Lutero defendió con rotundidad el principio de «*solo la escritura*», que dice que los cristianos solo necesitan las Santas Escrituras, no la interpretación que los sacerdotes hacen de ellas. Es decir: la Biblia se entiende por sí sola. Pero ya en tiempos de Lutero se enredaron los nuevos movimientos reformadores en discusiones sobre la interpretación de la Biblia. De modo que, aunque todos querían ser fieles a la Biblia, lo cierto es que los unos siguieron la interpretación de Calvino, los otros la de Zwingli, los otros la de Thomas Müntzer o John Knox, etc.

Pregunta 130: ¿También los cristianos no católicos son nuestros hermanos y hermanas?

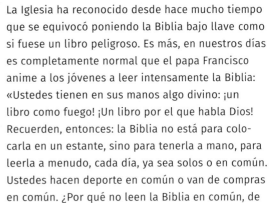

La Iglesia ha reconocido desde hace mucho tiempo que se equivocó poniendo la Biblia bajo llave como si fuese un libro peligroso. Es más, en nuestros días es completamente normal que el papa Francisco anime a los jóvenes a leer intensamente la Biblia: «Ustedes tienen en sus manos algo divino: ¡un libro como fuego! ¡Un libro por el que habla Dios! Recuerden, entonces: la Biblia no está para colo-

Pregunta 16: ¿Cómo se lee correctamente la Biblia?

carla en un estante, sino para tenerla a mano, para leerla a menudo, cada día, ya sea solos o en común. Ustedes hacen deporte en común o van de compras en común. ¿Por qué no leen la Biblia en común, de

a dos, de a tres, de a cuatro? Al aire libre en medio de la naturaleza, en el bosque, en la playa, a la noche a la luz de un par de velas... ¡Tendrán una experiencia formidable!». Es una pena, y en parte también culpa de la Iglesia, que durante tantos siglos la gente normal no pudiera conocer para sí la riqueza de la Palabra de Dios.

La Iglesia recomienda leer la Biblia, pero no ha renunciado al principio de que *la Biblia es el libro de la Iglesia*. Nació de su seno, y es y seguirá siendo su corazón. Así lo dice el papa Benedicto: «Nunca podemos leer nosotros solos la Escritura. Encontramos demasiadas puertas cerradas y caemos fácilmente en el error. La Biblia fue escrita por el pueblo de Dios y para el pueblo de Dios, bajo la inspiración del Espíritu Santo». Es decir, la Biblia tiene una relación viva con la Iglesia que no debemos pasar por alto. Y tampoco

Pregunta 19: ¿Qué función tiene la Sagrada Escritura en la Iglesia?

debemos convertirnos en dueños de la Biblia. Ya lo dijo Shakespeare: «El diablo cita la Biblia en su provecho».

1.4: ¿Qué diferencia hay entre la Biblia y el Corán?

Pero ¿qué es exactamente la «Palabra de Dios»? Todo lo que Dios nos tiene que decir. Todo lo que nos dijo en Jesucristo, que es la revelación de revelaciones y la auténtica «Palabra de Dios». El acceso a la Palabra

de Dios lo encontramos por escrito en las *Sagradas Escrituras*, así como oralmente en la *Tradición Apostólica (o Sagrada Tradición)*. Podemos imaginárnoslo más concretamente así: hasta el año 397, que es cuando el Sínodo de Cartago fijó qué libros debían constituir las Sagradas Escrituras, diversas generaciones de cristianos vivieron casi sin el Nuevo Testamento. ¿Quiere esto decir que vivieron sin la «Palabra de Dios»? No, «porque la palabra de Dios es viva y eficaz, más tajante que espada de doble filo» (Heb 4,12). De lo contrario no habrían sobrevivido a las catacumbas y a los horribles juegos circenses de la antigüedad.

Pregunta 10: ¿Está dicho todo con Jesucristo o continúa todavía después de Él la revelación?

Heb 4,12

> Se trata de leer y releer incesantemente el Santo Evangelio, para tener siempre ante la mente los actos, las palabras, y pensamiento de Jesús, a fin de pensar, hablar, actuar como Jesús.

Beato Charles de Foucauld (1858–1916)

¿Qué significa «Dios se hace hombre»?

Aquí vas a descubrir

el momento quizás más chocante de todo
el cristianismo: que la Iglesia, desde hace
dos mil años, es firme en su convencimiento
de que Dios se hizo hombre, que fue un bebé,
un recién nacido más en el mundo.

Pregunta 9: ¿Qué nos muestra Dios de sí cuando nos envía a su Hijo?

Pregunta 337: ¿Cómo somos salvados?

ENCARNACIÓN ➡

(del latín *caro, carnis* = carne, volverse carne): La encarnación de Dios en Jesucristo. Es la base de la fe cristiana y de la esperanza de la resurrección del ser humano.

El filósofo francés **Jean-Paul Sartre** (1905–1980), fue junto a Sigmund Freud el segundo de los ateístas y anticristos que marcaron época durante el siglo XX. El último Sartre, amargado y radicalizado, quiso ser uno de aquellos que habían «hecho de Dios una hipótesis superada que morirá tranquilamente y por sí misma». Pero fue precisamente el propio Sartre –casi mejor que muchos teólogos– quien dio en el clavo al explicar el sentido de la encarnación de Dios. En Teología se habla de la «ENCARNACIÓN» (=ir a la carne) de Dios. La pregunta es: ¿por qué quiso Dios precisamente encarnarse?

Cuesta creerlo, pero es así: **Sartre** escribió un auto de Navidad que se titula *Barioná, el Hijo del Trueno*. Lo redactó para celebrar la Navidad del año 1940 en el campo de concentración donde estaba internado. Estos años como preso de guerra en Tréveris fueron muy especiales para Sartre, ya que profundizó en autores católicos como Paul Claudel y Georges Bernanos: «Los dos grandes descubrimientos que hice en el campo fueron *El zapato de raso* y el *Diario de un cura rural*. Son los únicos libros que me causaron realmente una impresión profunda». También allí conoció a sacerdotes y sintió un «hermanamiento» con ellos: «Encontré una forma de vida colectiva que no había vuelto a vivir tras la *École Normale*, y quiero decir que, en resumidas cuentas, allí era feliz». Casi logró enfrentarse al vacío de su alma, a su gran trauma con el padre, pero no pudo ser. Pero por lo menos sí que escribió *Barioná*, ya que «tenía que dar con un tema que en aquella Nochebuena pudiera conseguir unir a cristianos y a no creyentes».

99 Haz como Dios y hazte hombre.

Obispo Franz Kamphaus (*1932), obispo emérito de Limburg

> Dios era incomprensible, inaccesible, invisible e inimaginable. Se hizo hombre y se acercó a nosotros en un pesebre para que lo pudiésemos ver y comprender.

San Bernardo de Claraval (aprox. 1090–1153)

La obra contiene un pasaje excepcional en el que Sartre explica por qué le falta Dios. Pone en labios de Barioná las siguientes palabras: «Un Dios-Hombre, un Dios hecho de nuestra carne humillada, un Dios que aceptase conocer este sabor amargo que hay en el fondo de nuestra boca cuando todos nos abandonan, un Dios que aceptase por adelantado sufrir lo que yo sufro ahora… Venga, es una locura». Y, en otro pasaje, Barioná dice: «Si un Dios se hubiese hecho hombre por mí, le amaría con exclusión de todos los demás, habría como un lazo de sangre entre él y yo, y no tendría suficiente vida para demostrarle mi agradecimiento: no es un ingrato. Pero, ¿qué Dios sería lo suficientemente loco para eso?».

Pregunta 76: ¿Por qué se hizo Dios hombre en Jesús?

Pregunta 33: ¿Qué quiere decir que Dios es amor?

Pregunta 402: ¿Qué es el amor?

> Dios es tan grande que puede hacerse pequeño. Dios es tan poderoso que puede hacerse inerme y venir a nuestro encuentro como niño indefenso para que podamos amarlo.

Papa Benedicto XVI, 24 de diciembre de 2005

En la obra de Sartre, María dice: «Este Dios es mi hijo. Esta carne divina es mi carne. Está hecha de mí. Tiene mis ojos, y la forma de su boca es la de la mía. Se parece a mí. Es Dios y se parece a mí. Y ninguna mujer jamás ha tenido así a su Dios para ella sola. Un Dios muy pequeñito al que se puede coger en brazos y cubrir de besos, un Dios calentito que sonríe y que respira, un Dios al que se puede tocar; y que sonríe».

Pregunta 82: ¿No es escandaloso llamar a María «Madre» de Dios?

Pregunta 13: ¿Se puede equivocar la Iglesia en cuestiones de fe?

MONOFISISMO ➡

SUBORDINACIONISMO ➡

ADOPCIONISMO ➡

En la Biblia apenas hay versículos que fuera de la Iglesia hayan escandalizado más que Juan 1,14: «Y el Verbo (=Dios) se hizo *carne* y habitó entre nosotros». Los griegos de entonces, que acababan de renunciar a su abstracta mitología pero seguían enamorados del intelecto, entraron en estado de shock cuando escucharon que Dios se había hecho carne. Incluso dentro de la propia Iglesia se sucedieron las herejías una tras otra. Los *monofisitas* enseñaron que Cristo no había sido a la vez hombre verdadero y Dios verdadero, sino solo naturaleza divina. Los seguidores del *subordinacionismo* afirmaron que Jesús había sido solo una especie de dios de segunda clase, no del mismo grado que el Padre y el Espíritu Santo. La corriente del *adopcionismo* promulgó que Cristo había sido solo hombre, y que Dios lo había «adoptado»

como hijo suyo tras su bautismo en el Jordán. Y los defensores del *docetismo* dijeron que Cristo, que era de verdad el hijo de Dios, se había servido no obstante de un cuerpo aparente y que, por tanto, también su muerte de cruz fue tan solo «ficticia».

DOCETISMO

Nestorio, obispo y patriarca de Constantinopla del siglo V, fue cesado de su cargo por el Concilio de Éfeso por no admitir que Dios hubiera poder tenido «dos o tres meses de edad». Pero la Iglesia siempre permaneció firme en su afirmación de que Jesús fue el hijo nacido de la Virgen María, «verdadero Dios y verdadero hombre» a la vez. ¡Y no siempre fue fácil!

Pregunta 77: ¿Qué significa que Jesucristo es a la vez verdadero Dios y verdadero hombre?

> O ese hombre era, y es, el Hijo de Dios, o era un loco o algo mucho peor. Podéis hacerle callar por necio, podéis escupirle y matarle como si fuese un demonio, o podéis caer a sus pies y llamarlo Dios y Señor. Pero no salgamos ahora con insensateces paternalistas acerca de que fue un gran maestro moral. Él no nos dejó abierta esa posibilidad. No quiso hacerlo.

El escritor **C. S. Lewis** sobre Jesús

Imagínate que tienes que adorar a un dios que ha nacido en la última pocilga de esta tierra: de inmediato te vuelves ateo. Pero sabes que Sartre acertó con aquello de «un Dios al que se puede tocar; y que sonríe». ¡Es verdad! Dios adquirió un rostro humano.

¿Por qué el sufrimiento?

AQUÍ VAS A DESCUBRIR

el sufrimiento de los pobres, los dolores de
los enfermos y las lágrimas de los niños.
Ninguna teología puede pasarlos por alto sin
avergonzarse o decir que no son posibles.

Una joven pareja aguarda con alegría a su bebé. Cuando nace, el niño no tiene brazos. ¿Por qué Dios consiente esto? En una ocasión me lancé a provocar a un sacerdote mayor con una serie de catástrofes que acababan de acontecer en mi entorno. No paraba de mover la cabeza y de repetir una misma frase: «Dios no comete errores». Tuve que tragar saliva y durante mucho tiempo me costó hacerme a la idea de aquello. Pero después me encontré con la madre de un niño con síndrome de Down, y me dijo: «Nunca cambiaríamos a Félix por ningún otro niño del mundo. Es la alegría de nuestra familia».

TEODICEA

Desde **G. W. Leibniz** (1646–1716) existe la palabra TEODI-CEA (en griego «justicia a Dios»), que se pregunta cómo un Dios bueno es compatible con el sufrimiento en el mundo. Todos hemos de convivir con el sufrimiento, se lo atribuyamos o no a Dios. Quien *no cree* verá la vida como un juego de azar en el que algunos, sin más, tienen mala suerte. Pero los cristianos dicen que esto no es así, que la lágrima de un único niño pulverizaría el sentido del universo si no apareciera el que «enjugará toda lágrima de sus ojos» (Ap 21,4). Dicho sea también, los cristianos tampoco tienen en cartera la fórmula infalible para neutralizar el sufrimiento y demostrar la bondad de Dios. Como cualquier otro ser humano, también un cristiano mira perplejo las increíbles formas de miseria que sufren seres inocentes. Porque no solo sufren los humanos, también sufren los animales. En cierto modo, toda la creación sufre. Los cristianos, sin embargo, creen que la vida merece la pena; que cada vida que Dios regala merece la pena. Pero sí, también tienen que escuchar preguntas maliciosas del tipo: «¿Dónde estaba vuestro Dios cuando pasó esto y aquello?». ¿Qué hacen entonces?

Pregunta 66: ¿Estaba en el plan de Dios que los hombres sufrieran y murieran?

 Ap 21

Los cristianos reenvían la pregunta a Dios, a veces entre lágrimas, a veces con un soniquete de rebeldía como lo hizo Romano Guardini (1885-1968) cuando dijo: «¿Por qué, oh Dios mío, para la salvación los terribles rodeos, el sufrimiento de los inocentes, la culpa?». Guardini, por cierto, también pensaba que el día del Juicio Final no solo dejaría que le preguntasen, sino que él también preguntaría.

Esta no es la conducta de un ateo. Al revés. No es que podamos decir que la Biblia intente alejar a Dios del sufrimiento. Sus grandes figuras entran en un diálogo con Dios que con frecuencia es inquietante, e incluso acusador: «¿Por qué te quedas lejos, Señor, y te escondes en el momento del aprieto?» (Sal 10,1). También tenemos al pobre Job, al que se le quita todo: «Te pido auxilio, y no respondes; me presento ante ti, y no lo

Pregunta 240: ¿Cómo se interpretaba la «enfermedad» en el Antiguo Testamento?

 Salmo 10

> **Estando ausente de ti ¿qué vida puedo tener, sino muerte padecer, la mayor que nunca vi?**
> **San Juan de la Cruz** (1542-1591)

adviertes» (Job 30,20). ¿Qué les dice Dios a todos ellos? «Mis planes no son vuestros planes, vuestros caminos no son mis caminos —oráculo del Señor—» (Is 55,8). ¿Le damos entonces igual? ¿De verdad que Dios no se equivoca?

Job 30,20

Pregunta 40: ¿Dios lo puede todo? ¿Es omnipotente?

La pregunta acerca de Dios y del sufrimiento sigue siendo un misterio, desde luego. Pero también la acompañan unas cuantas certezas. Sabemos que Dios es todopoderoso, porque de lo contrario no sería Dios. Y sabemos que Dios hizo al mundo bueno.

Pregunta 51: Si Dios lo sabe todo, ¿por qué no impide entonces el mal?

El hecho de que existan el sufrimiento y el mal nos molesta, y con razón. Es como un inconveniente que no tendría existir. La Sagrada Escritura ve un mundo contaminado por el mal. Pero el mal no fue ni pudo ser creado por Dios, porque Dios es el enemigo del mal. Lo que Dios quiere para nosotros son «designios de paz y no de aflicción, daros un porvenir y una esperanza» (Jer 29,11). En el libro de Isaías nos dice incluso que «como a un niño a quien su madre consuela, así os consolaré yo» (Is 66,13).

Jer 29,11

Is 66,13

Pregunta 241: ¿Por qué mostró Jesús tanto interés por los enfermos?

Al fin y al cabo, las cosas no terminan de encajar hasta antes de la llegada de Jesús. Hasta el momento en que Dios mismo se embarcó mediante su hijo en el sufrimiento de su creación. Y lo hizo además hasta el extremo de que su propio hijo, antes de morir, le imploró: «Dios mío, Dios mío, ¿por qué me has abandonado?» (Mc 15,34). Pero no es el único reproche que leemos en la Biblia. Otro quizás mayor aún lo tenemos en el increíble Salmo 22, que en su primera mitad reproduce el grito de un traicionado. Pero eso sí, en la segunda mitad ese grito desaparece cuando se alaba a Dios Redentor: «Porque no ha sentido desprecio ni repugnancia hacia el pobre desgraciado; no le ha escondido su rostro: cuando pidió auxilio, lo escuchó» (Sal 22,25). El Padre no «abandona» al Hijo en la muerte, sino que lo despierta en la vida nueva, y con Él, a todos lo que creen en Él. Por ello dice san Pablo: «Sabemos que a los que aman a Dios todo les sirve para el bien; a los cuales ha llamado conforme a su designio» (Rom 8,28).

Mc 15,34

Salmo 22

1.36: ¿Es voluntad de Dios que mueran los hombres?

Rom 8,28

> **,,** Considera esto por encima de todo: tu sufrimiento pesaría como una cordillera si tuvieras que cargarlo tú solo. Pero es un yugo que el Señor te ayuda a cargar portándote a ti y a tu carga.

San Francisco de Sales (1567–1622)

 El teólogo protestante **Dietrich Bonhoeffer** (1906–1945), dijo: «Creo que Dios quiere y puede hacer que de cualquier cosa, también de lo negativo, pueda salir algo bueno». Escribió estas palabras en la celda en la que los nazis lo habían encerrado junto con otros combatientes de la resistencia y donde esperaba su ejecución. También allí, y viendo ya a la muerte muy de cerca, redactó este poema que le envió a su prometida: «Maravillosamente protegidos por los poderes bondadosos esperamos consolados lo que haya de venir. [...] Y si nos ofreces el pesado cáliz, ese tan amargo del dolor y repleto hasta rebosar, lo aceptaremos de tu mano buena y querida. Sin temblar. Agradecidos». Cuatro meses después, Dietrich Bonhoeffer fue ejecutado.

Puh...

▼ **Pregunta 49:** ¿Dirige Dios el mundo y también mi vida?

¿Por qué la cruz?

AQUÍ VAS A DESCUBRIR

por qué precisamente uno de los instrumentos de tortura
más brutales de la antigüedad se convirtió para los
cristianos en un símbolo de su identidad, y por qué estos se
arrodillan ante el sufrimiento de un criminal condenado.

Pregunta 51: Si Dios lo sabe todo, ¿por qué no impide entonces el mal?

Los antonianos del convento de Isenheim encargaron al pintor Grünewald una obra maestra, un altar cuya tabla central fuese una crucifixión que superara en su cruel realismo a todas las obras precedentes: manos contraídas por el dolor; un cuerpo esquelético, en los huesos, supurando y ulceroso; con espinas en la cabeza; repleto de sangre y con heridas sin fin. Los hermanos de la orden pusieron en la capilla de su convento esta obra, que se titula *El altar de los enfermos de fuego*. Allí llevaban cada día a los pacientes incurables, a aquellos «enfermos de fuego» que se revolvían en su dolor o sufrían por el contagio de la peste lastrados ya con bubones negros o azulados. Poniéndoles delante del altar, pensaban los antonianos, podrían contemplar precisamente a aquel que fue colgado en un tronco, y su oración ante la cruz tendría casi el mismo efecto que una medicina («*quasi medicina*» decían). ¿Lo hacían para reírse de los más desfavorecidos de entre los desfavorecidos? ¿Hace falta acaso restregar el sufrimiento en la cara a quien ya más sufre?

Él llevó nuestros pecados en su cuerpo hasta el leño, para que, muertos a los pecados, vivamos para la justicia. Con sus heridas fuisteis curados.

1 Pe 2,24

Así es como lo vemos hoy, cuando más bien inyectaríamos opiáceos al que se está muriendo y le pondríamos uno tras otro capítulos de Mr. Bean. Pero la gente de la Edad Media extraía de la QUASI MEDICINA probablemente estos otros tres mensajes:

1. El mensaje de la solidaridad de Dios.
2. El mensaje del arrepentimiento de los pecados.
3. El mensaje de la esperanza de una salvación fundamental.

Esto, que de primeras suena cruel, hay que analizarlo con detalle.

Punto «1». Con frecuencia, uno de los mayores dolores que golpea al que está sufriendo mucho es sentirse abandonado, por Dios y por los demás, y tener que conformarse diciendo: «No me queda otra que lograrlo solo». Consuela que haya cerca otros que sufren, y si el que está ahí es Dios, entonces el consuelo es mucho mayor. Quizá pueda cuestionarse para qué sirve a la hora de la verdad un Dios rodeado de santas ánimas y decir: «Él nunca estuvo en mi sufrimiento». Quizás. Ahora bien, antes se decía: «*Ofrece tu sufrimiento con el sufrimiento de Cristo*». Esto, dicho con las palabras de nuestro tiempo, significa: «Transforma tu sufrimiento en un regalo para los demás, hazlo junto con Jesús, pues Él sufrió por ti en la cruz, hizo de su muerte un regalo para ti, para tu salvación y la de todo el mundo».

Pregunta 102: ¿Por qué debemos nosotros también aceptar el sufrimiento en nuestra vida y así «cargar con la cruz» y con ello seguir a Jesús?

> ## La cruz de Cristo es una carga como las alas que hacen volar a los pájaros.

San Bernardo de Claraval (aprox. 1090–1153)

Punto «2». Quien ha tratado a gente que está a punto de morir sabe que el dolor del alma es de los peores. El dolor de no poder obviar la propia biografía, de tener heridas abiertas, de haber abandonado a gente o de quedar debiendo algo. Pero si nos arrepentimos de haber destruido nuestras vidas, Él, que todo lo hizo bien, nos puede consolar. También a Él le hubiera gustado que nuestras historias fueran buenas historias. Pero no pasa nada, porque hasta el último minuto la cruz nos da «la esperanza de toda salvación, honor y gloria» (de la liturgia de Viernes Santo).

Pregunta 229: ¿Qué hace que una persona esté dispuesta al arrepentimiento?

Punto «3». Los cristianos suelen morir con una cruz en la mano o mirando a la cruz. Lo entendemos si miramos a Jesús en el momento clave de nuestras vidas, que no es precisamente el entierro ni la incineración ni el esparcimiento de las cenizas por el mar. El momento clave de nuestras vidas es precisamente la resurrección de los muertos. «La verdadera revolución, la que transforma radicalmente la vida, la realizó Jesucristo a través de su Resurrección: la Cruz y la Resurrección», dice el papa Francisco.

Pregunta 108: ¿Qué ha cambiado en el mundo por la Resurrección?

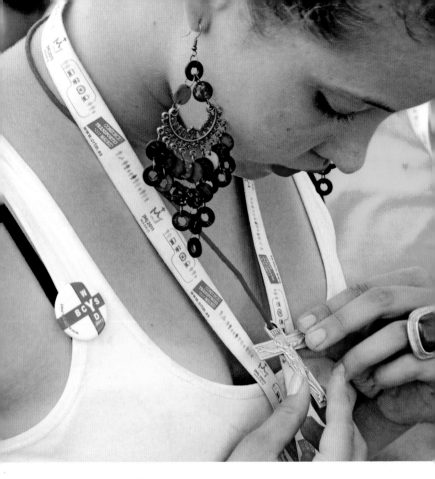

99 La sabiduría cristiana no consiste en la abundancia de las palabras, ni en la sutileza de los razonamientos, ni en el deseo de alabanza y gloria, sino en la verdadera y voluntaria humildad que, desde el seno de su Madre hasta el suplicio de la cruz, nuestro Señor Jesucristo eligió y enseñó como plenitud de la fuerza.

San León Magno (390-461)

Todas las religiones del mundo se han preguntado cómo escapar del sufrimiento. También podemos preguntarles a todas ellas acerca de la muerte. En una ocasión me puse a pensar qué hubiera pasado si los antonianos, en vez de encargarle una crucifixión al maestro Gründwald, hubieran ido en su lugar al centro comercial y comprado allí un buda sonriente y en paz para sentar a todos los enfermos junto a él. En el budismo se dice rotundamente que la vida es sufrimiento, y este sufrimiento no se acaba hasta que no nos hemos deshecho del origen de todos los sufrimientos, de los anhelos (=deseos). Bueno, yo no quiero ser (in)feliz sin deseos, sino acceder al objetivo final de mis deseos, que es sanar por completo. Me gustaría tener una vida, una vida en exceso, una vida sin fin. No quisiera, en definitiva, desentenderme de la vida ni estar contando las reservas de mi alegría hasta que se agoten. Soy cristiano. Da igual lo terrible que sea la situación en que me encuentre, porque sé que saldré ileso del numerito.

«Una persona sin religión es alguien que camina sin destino, pregunta sin respuesta, lucha sin victoria y muere sin vida nueva». Así habló una vez el arzobispo Hélder Câmara. Los cristianos nunca deben dejar caer la cruz de sus manos. Ni siquiera cuando estas desaparezcan de aulas, juzgados o picos de montañas. Los cristianos deberán sostenerla siempre en sus manos. Porque la imagen del crucificado es la imagen que precede al gran cuadro de la alegría, al cuadro del amanecer, al cuadro de la resurrección.

Pregunta 136: ¿Cómo ve la Iglesia a las demás religiones?

Yo he venido para que tengan vida y la tengan abundante.
Jn 10,10

Pregunta 281: ¿Por qué anhelamos la felicidad?

UNIDAD
8
CURSO DE FE

¿Para qué necesitamos la Iglesia?

Aquí vas a descubrir

que la Iglesia tiene una fachada y un misterio.

Algo humano y divino al mismo tiempo.

Un torrente por el que fluye en nosotros la vida

verdadera. Un lugar para compartir el amor.

Un hogar en la alegría.

Pregunta 121: ¿Qué significa «Iglesia»?

 Lc 1,38

Pregunta 128: ¿Qué quiere decir que la Iglesia es «templo del Espíritu Santo»?

Quien quiera entender el misterio más profundo de la Iglesia, que se fije en este cuadro. A primera vista es un cuadro de María. María es desde el primer momento un «modelo primigenio» para la Iglesia, ¿por qué? Porque su vientre fue el primer hogar de Dios cuando se hizo hombre. Más aún: Jesús fue el que dio sentido a la vida de María. Ella estuvo junto a Él y Él estuvo dentro ella. Con la Iglesia debe suceder lo mismo, tiene que ser el sitio en el que el resucitado pueda vivir, un lugar de amor y de entrega plenos. Lo mismo que la casa de aquella joven de Galilea a la que Dios llamó para poder entrar. Estaba buscando un lugar para estar en el mundo, y María le dijo al ángel de Dios: «Hágase en mí según tu palabra».

Dios, sin embargo, no ha dejado de buscar un sitio para que Jesús pueda crecer entre nosotros. Lo sigue buscando hoy. Por ello se dice que la Iglesia es «*templo del Espíritu Santo*». La palabra «templo» significa casi lo mismo que «lugar santo». Y Dios puede estar presente

en todas partes. Es verdad que a veces cuesta distinguir entre qué es lo divino y qué es lo humano. Por eso resulta fascinante leer en las Sagradas Escrituras que Dios quiso realmente «morar» entre nosotros. Es decir, nuestra tarea común es que Dios se sienta dentro de nosotros «como en casa». Y lo bueno es que no tenemos que construirle nosotros solos un templo, sino que muchos trabajaron ya en ello. Al fin y al cabo, Dios mismo, el Espíritu Santo fue quien construyó –y construye– una morada de Dios entre nosotros día y noche.

 Y reconocerán que yo soy el SEÑOR, su Dios, que los sacó de la tierra de Egipto para morar en medio de ellos. Yo soy el SEÑOR su Dios.
Éx 29,46

La Iglesia no vive para otra cosa que para el propio Jesús. Únicamente hemos de estar ahí, alrededor de Jesús, y dejar que actúe. Es entonces cuando somos Iglesia. En una ocasión, Jesús dice en el Evangelio de san Lucas lo siguiente: «Mi madre y mis hermanos son estos: los que escuchan la palabra de Dios y la cumplen» (Lc 8,21). También lo explicó el papa Benedicto XVI: «La Iglesia es la familia de Dios en el mundo». Por lo tanto, la Iglesia

2.1: ¿Qué es la Iglesia? ¿Quién está en la Iglesia?

Lc 8,21

es en primer lugar Jesús vivo, que vive hoy en nosotros. Y luego viene su «familia», esto es, nosotros los imperfectos, los pecadores y a los que se nos permite ser «un cuerpo» con Jesús.

Pregunta 126: ¿Qué quiere decir que «la Iglesia es el Cuerpo de Cristo»?

Sí, es así. Jesús confió mucho en nosotros y nos permitió ser de verdad «un cuerpo». Las Sagradas Escrituras lo demuestran en diversos pasajes. También san Agustín (350-430) encontró palabras muy profundas para explicar lo que sucede cuando recibimos la sagrada Comunión: «Sed lo que veis y recibid lo que sois».

Haré de ti una gran nación, te bendeciré, haré famoso tu nombre y serás una bendición.
Gén 12,2

Durante el Concilio Vaticano II se recuperó un antiquísimo retrato bíblico de la Iglesia. De él renació muy fortalecida la imagen del (nuevo) «pueblo de Dios» que va «peregrinando entre las persecuciones del mundo y los consuelos de Dios». Al hablar del «antiguo» pueblo de Dios nos referíamos al pueblo de Israel, a quien Dios acompañó en un largo camino.

Pero Jesucristo, sin olvidar al pueblo de Israel, creó un pueblo «nuevo» para acoger en él a todas las personas, naciones y culturas, y acercarlas a Dios.

Puede ser abrumador resumir todo lo que le ha pasado a la Iglesia en estos últimos 2000 años, ¡qué de cosas! A veces nos encontramos con una *institución* gigante. Parte de la institución son no solo las catedrales, las iglesias, los sacerdotes o los obispos, sino también otros temas como la cruz de la renta para la Iglesia o la labor de Cáritas. Existe sin embargo otra realidad, una *realidad espiritual,* que es la que concierne a las vocaciones o a toda esa gente que reza y que entrega su vida a Dios. En la Iglesia hay desde luego dos «realidades», una *espiritual* y una *institucional,* pero ambas van de la mano. Sin la institución, la Iglesia no podría resistir en el mundo, ya que necesita dinero para poder ayudar, espacios para celebrar sus encuentros y a personas con encargos concretos. Ahora bien, todo esto sería un aparato muerto y sin alma si el corazón de la Iglesia no fuera lo *espiritual,* es decir, la realidad viva de Dios en el Espíritu Santo.

Pregunta 138: ¿Cómo está estructurada la Iglesia una, santa, católica y apostólica?

Pregunta 119: ¿Qué hace el Espíritu Santo en la Iglesia?

También vosotros, como piedras vivas, entráis en la construcción de una casa espiritual.
1 Pe 2,5

Sí, es verdad. Los escándalos de la Iglesia son y seguirán siendo una vergüenza, un auténtico escándalo. Pero no son meros fallos de programación como los que surgen de repente en una web y que se pueden eliminar del mundo con un poco de buena voluntad. Jesús se las vio con gente de todo tipo, corriente y peligrosa. Se las vio con la cortesana María Magdalena, con Zaqueo el Publicano, con una adúltera a la que habían pillado; también con mala gente como Judas que luego lo traicionó, o con Pedro que lo negó antes de que el gallo cantara tres veces. Si en la Iglesia solo pudieran habitar hombres y mujeres limpios, posiblemente estaría vacía. O vamos, yo no tendría un sitio ahí. Me conozco, yo soy capaz de cualquier cosa.

La Iglesia en sí ... no es un club de gente perfecta, sino que es un lugar para que la gente corriente cambie lentamente conforme a la voluntad de Cristo. Para personas que a veces tiran la toalla, que tienen cargo de conciencia o que necesitan que les cojan del cogote para mejorar. Menos mal que nos lo dijo ya Jesús: «No necesitan médico los sanos, sino los enfermos. No he venido a llamar a justos, sino a pecadores» (Mc 2,17). ...

Todos tenemos un pero: el primero con el dinero, el segundo con la verdad, el tercero con el sexo, el cuarto no es de fiar, el quinto es un cabezón y el sexto, ese soy yo. No podemos desfilar ninguno con marchas triunfales. Más bien cojeamos, vamos damos tropezones y arrastrándonos por ahí. Pero seguimos adelante. Y lo hacemos juntos. Esta es la iglesia en la que me gusta estar.

Bernhard Meuser, *Ser cristiano para principiantes*

 Pregunta 123: ¿Cuál es la misión de la Iglesia?

 Mt 25,40

La Iglesia no es un fin en sí. A Dios no le gusta que solo gire en torno a sí misma, porque Él la creó por y para el hombre. Debe ser «signo e instrumento de la unión íntima con Dios y de la unidad de todo el género humano» *(Lumen Gentium)*. La Iglesia no debe limitarse a sí misma, debe *servir al género humano por el amor:* «Cada vez que lo hicisteis con uno de estos, mis hermanos más pequeños, conmigo lo hicisteis» (Mt 25,40).

La Iglesia está donde debe estar cuando cumple con tres tareas fundamentales. *Debe proclamar la palabra de Dios:* «Proclama la palabra, insiste a tiempo y a destiempo, arguye, reprocha, exhorta con toda magnanimidad y doctrina» (2 Tim 4,2). Debe administrar los sacramentos y debe celebrar Misas. Estos son lugares decisivos en los que Dios actúa en nosotros, nos transforma, nos libera y nos redime.

Pregunta 190: ¿Qué es una casa de Dios cristiana?

 2 Tim 4

¿Por qué se bautizan los cristianos?

Aquí vas a descubrir

que la vida normal termina cuando termina.
Pero cuando se es cristiano, con la vida se recibe
otra vida que es regia y que no terminará
si mañana se acaba el mundo.

Johann Wolfgang von Goethe (1749–1832) es uno de los escritores alemanes más importantes.

La balada de Goethe *El rey de los elfos* daba miedo en su época. Narra la historia de un padre que con su hijo enfermo en brazos cabalga a través de una noche con mucho viento. De repente, el niño se inquieta y se pone a llorar porque se siente amenazado por ese rey de los elfos, que es una especie de demonio que anuncia la muerte. El padre, desesperado, intenta tranquilizar a su hijo abrazándolo fuerte y espolea al caballo para que corra más deprisa. Pero no puede ser. «Llega al patio como puede. El niño, en sus brazos, yacía ya muerto». Así termina la balada.

Pregunta 197: ¿Por qué mantiene la Iglesia la práctica del Bautismo de niños?

¿Qué mueve a los padres para que tomen a sus hijos en brazos y los lleven a bautizar? Se trata de una intuición existencial, algo que tiene que ver con el poema *El rey de los elfos*. A los padres se les ha confiado una criatura indefensa, y proteger a ese pequeño de cualquier mal es el anhelo más profundo de su amor. Para ello se dirigen a Dios, al Señor de la vida, y le piden que lo bendiga. Este es el significado del Bautismo.

A veces se piensa que el Bautismo es solo un acto piadoso. ¿Quién protege de verdad a esos hijos que las madres ven ir a la guerra y que nunca regresan? Es más, ¿no caminamos todos en cierto modo hacia muerte? Claro que muchas veces tenemos que enfrentarnos a escenas tan duras como la del final de la balada: «El niño, en sus brazos, yacía ya muerto». La vida tiene muchas caras. Muchas de ellas son muy hermosas, pero hay otras que, lamentablemente, no lo son tanto, y que tampoco podemos controlar. La amenaza es continua. Y dado que el pecado existe,

El Bautismo ... es un don, el don de la vida. Pero un don debe ser acogido, debe ser vivido. Un don de amistad implica un «sí» al amigo e implica un «no» a lo que no es compatible con esta amistad, a lo que es incompatible con la vida de la familia de Dios, con la vida verdadera en Cristo.

Papa Benedicto XVI

podemos arrojarnos además al abismo los unos a los otros. ¿Qué sentido tiene entonces que amemos tanto y que queramos proteger, con o sin ayuda de Dios?

Pues bien, el «Bautismo» es algo más que un mero acto piadoso. No puede reducirse a unos padrinos emocionados y a un bebé engalanado, que además tampoco termina de entender de qué va aquello. Si el Bautismo solo fuera esto, desde luego, nos lo podríamos ahorrar.

Pregunta 194: ¿Qué es el Bautismo?

Recordemos aquí una historia que le sucedió en Mali a un sacerdote que había estado preparando a cuarenta adultos para recibir el Bautismo. Cuando los tres años de preparación se acercaban a su fin, todos ellos se mudaron a las proximidades de la Iglesia para recibir el sacramento. No se ocultó nada. Pero una noche, unos islamistas armados irrumpieron en la iglesia y le amenazaron al clérigo diciéndole que no le podían garantizar nada si aquellas personas finalmente eran bautiza-

Pregunta 198: ¿Quién puede administrar el Bautismo?

2.26: ¿Cuáles son los orígenes del islam?

das. El sacerdote se lo contó a los cuarenta y les pidió que se marcharan. Pero estos, hablándolo entre sí, decidieron quedarse. De allí no solo no se marchó nadie, sino que uno de ellos, además, se alzó en nombre de todos: «Queremos el Bautismo: con agua o con sangre». Aquellas cuarenta personas, aunque se jugaron literalmente

Bautismo de sangre es otra expresión para «martirio». Los cristianos perseguidos durante el Imperio romano, con frecuencia, fueron arrojados a los leones. Si todavía no habían sido bautizados, su martirio era considerado un «bautismo de sangre».

Pregunta 195: ¿Cómo se administra el Bautismo?

el cuello, fueron bautizadas. Pero ¿y si hubiera entrado en la iglesia aquella noche el comando terrorista con ametralladoras, bidones de gasolina y fuego? Pues se habrían unido igualmente a Dios mediante el Bautismo, si bien este habría sido un «bautismo de sangre». El Bautismo era un premio que justificaba la vida terrenal para aquellos cristianos de Mali.

*ن El autodenominado Estado Islámico marcaba en 2014 todas las casas de los cristianos con esta letra del alfabeto árabe, la «nūn». Con ella empieza la palabra *naṣrānī* («nazarenos»), que es una de las formas para decir en árabe «cristianos». «ن», desde entonces, se ha convertido en un símbolo de solidaridad con los cristianos perseguidos, especialmente en redes sociales, donde se ha difundido como el *hashtag* «#ن».

Tenían razón, porque el *Bautismo regala la vida para siempre*. Esta es una doctrina cristiana por la que la Iglesia responde. La Iglesia cumple así el mandato de Jesús, que pidió a sus apóstoles que bautizaran (Mt 28,19), porque el Bautismo es la puerta de entrada hacia la vida verdadera, el pórtico principal: «El que crea y sea bautizado se salvará» (Mc 16,16). Aunque Dios previó también otras sendas para la salvación de los que no puedan ser bautizados, la Iglesia sigue haciendo como san Pedro en los Hechos de los Apóstoles. Llama a la gente a la fe y exhorta sin cesar: «Convertíos y sea bautizado cada uno de vosotros en el nombre de Jesús, el Mesías, para perdón de vuestros pecados, y recibiréis el don del Espíritu Santo» (Hch 2,38).

Mt 28,19

Mc 16,16

En el año 177, un grupo de cristianos de Lyon fue asesinado. Entre ellos estaba el diácono Sanctus. El juez le preguntó por su nombre, origen y profesión. Y Sanctus respondió tan solo: «Yo soy un cristiano».

Habrá quien piense que todo esto es muy raro y se pregunte por qué hay que unirse con ese tal Jesús. También puede sonar extraño eso de que, cuando te bautizas, es como cuando te revistes (Gál 3,27). Pero la respuesta es sencilla. Jesús es el único puente entre la vida y la muerte. Quizá se entienda mejor con un ejemplo algo drástico. El Bautismo es algo así como el último avión desde una ciudad sitiada, por ejemplo de Stalingrado durante la Segunda Guerra Mundial. Nosotros, los seres humanos, estamos encerrados en ese sitio de muerte. No podemos escapar de la fatalidad en la que nos han sumido el pecado y la maldad, y en parte también nosotros mismos. Pero de repente, alguien decide libremente acudir a esa ciudad sitiada.

Pregunta 200: ¿Qué ocurre en el Bautismo?

En efecto, Dios descendió en Jesucristo a la franja de la muerte. De este modo quiso compartir en todo su espectro el sufrimiento con nosotros, los seres humanos. Así se echó a las espaldas nuestros pecados y decidió mostrarnos una salida de la tierra mortal. Esta «salida de

Pregunta 199: ¿Es realmente el Bautismo el único camino para la salvación?

emergencia» se llama resurrección. Jesús es el primero que murió, y a pesar de ello vive. Porque el Bautismo es, a su vez, resurrección; es el rescate que nos saca de la tierra mortal para llevarnos a la vida eterna. Podemos atrevernos a comparar el Bautismo con ese avión salvador que nos rescata del sitio de Stalingrado. ¿Quién lo dice? La carta a los Romanos: «¿Es que no sabéis que cuantos fuimos bautizados en Cristo Jesús fuimos bautizados en su muerte? Pues si hemos sido incorporados a Él en una muerte como la suya, lo seremos también en una resurrección como la suya» (Rom 6,3-5).

 Rom 6,3–5

¿Por qué se confirman los cristianos?

Aquí vas a descubrir

la aventura de la fe. El Espíritu Santo es el que te anima y el que te fortalece para lanzarte de cabeza.

Existe un cruel chascarrillo sobre la Confirmación. Dos curas están hablando sobre una plaga de murciélagos en sus respectivas iglesias. Entonces, uno le dice al otro: «Mira, yo ya he probado todo, y no consigo quitármelos de encima». Y el otro, escuchándole, le explica: «Bueno, no hay solución mejor ni más fácil que confirmarlos. Yo lo hice, y al día siguiente ya no quedaba ni uno».

Pregunta 203: ¿Qué es la Confirmación?

SACRAMENTO DE INICIACIÓN ⮕

Esto, que es un chiste, tiene más verdad de lo que parece. La Confirmación es junto al Bautismo y la Eucaristía (Primera Comunión) uno de los SACRAMENTOS DE INICIACIÓN en la Iglesia. Los hay que hablan del sacramento de «incorporación» o de «vinculación» a la comunidad católica, o también del «sacramento de la mayoría de edad». Parece absurdo que se obligue a los jóvenes a recibir un sacramento que no quieren o que no les sirve para nada, ¿verdad? ¡De lo contrario no se marcharían al día siguiente! A veces se ha dicho que la Confirmación es

una «mentira» institucionalizada y hasta se ha pedido que se acabe cuanto antes con esta «farsa». Menos mal que hay gente más prudente y que se para a pensar solo un poco, y que dice: «Nunca se sabe qué les puede quedar a los jóvenes del Espíritu Santo».

Pregunta 204: ¿Qué dice la Sagrada Escritura acerca del sacramento de la Confirmación?

Al parecer, estamos a años luz todavía de comprender el sentido y el origen de la Confirmación, sobre todo si nos persigue la idea de que es un ritual vacío.

Fijémonos sin embargo en el Nuevo Testamento y en las prácticas de la Iglesia antigua. En Samaria, la actual Cisjordania, la gente se abría camino hacia Jesús: «Cuando los apóstoles, que estaban en Jerusalén, se enteraron de que Samaría había recibido la palabra de Dios, enviaron a Pedro y a Juan; ellos bajaron hasta allí y oraron por ellos, para que recibieran el Espíritu Santo; *pues aún no había bajado sobre ninguno;* estaban solo bautizados en el nombre del Señor Jesús. Entonces les imponían las manos y recibían el Espíritu Santo» (Hch 8,14-17).

También san Pablo «confirmó», y lo hizo además en Éfeso, en la lujosa metrópolis del comercio: «Allí encontró unos discípulos y les preguntó: '¿*Recibisteis el Espíritu Santo* al aceptar la fe?'. Contestaron: 'Ni siquiera hemos oído hablar de un Espíritu Santo'. Él les dijo: 'Entonces, ¿qué Bautismo habéis recibido?'. Respondieron: 'El Bautismo de Juan'. Pablo les dijo: 'Juan bautizó con un Bautismo de conversión, diciendo al pueblo que creyesen en el que iba a venir después de él, es decir, en Jesús'. Al oír esto, se bautizaron en el nombre del Señor Jesús; cuando Pablo les impuso las manos, vino sobre ellos el Espíritu Santo, y se pusieron a hablar en lenguas extrañas y a profetizar» (Hch 19,1-6).

 Pregunta 118: ¿Qué sucedió en Pentecostés?

Hch 8

 **3.37:** En la Confirmación, ¿desciende el Espíritu Santo sobre nosotros por segunda vez?

Hch 19

Todos nosotros estamos atentos de que sean bautizados y esto es bueno, pero tal vez no estamos muy atentos a que reciban la Confirmación. De este modo quedarán a mitad de camino y no recibirán el Espíritu Santo, que es tan importante en la vida cristiana, porque nos da la fuerza para seguir adelante.

Papa Francisco

Pregunta 207: ¿Quién puede administrar la Confirmación?

¿En qué quedamos? Un confirmante dio con una fórmula popular para explicarlo: el Bautismo nos pone el coche, mientras que con la Confirmación llega la gasolina.

> El Espíritu Santo actúa en nuestra vida para que lo imposible sea posible y lo posible, imposible.
>
> **Jakob Abrell** (1934–2003)

En el Nuevo Testamento nos topamos con dos realidades espirituales que están enlazadas entre sí y que, si bien encajan, se transmiten por separado. Por un lado, el Bautismo es más bien un sacramento de Jesús, es el primer sacramento que nos une a los seres humanos y a los cristianos con el Señor resucitado para que todos, junto a Él, formemos «un cuerpo» (es lo que celebramos en la Eucaristía). Y, por el otro lado, la Confirmación es más bien un sacramento del Espíritu Santo, el cual recibimos cuando nos confirmamos, y que es también el espíritu de Jesús.

Pregunta 59: ¿Para qué ha creado Dios al hombre?

Despojaos de vuestra antigua vida como el que se quita ropas viejas. Poneos una vida nueva como el que se viste con ropa nueva. Reconozcamos todos que somos de Dios y vivamos como a Él le gusta. Traducción libre de **Ef 4,22–24**, en una traducción moderna

Con la Confirmación, sencillamente, nos convertimos en seres *espirituales*. Dios se instala en los recovecos de nuestra alma y, desde este momento, empezamos a vivir de una fuente que es más profunda de lo que nunca pudimos imaginar. Y entonces nos damos cuenta de cómo ese estímulo vital supera toda fuerza de voluntad, porque Dios vive, ama y respira en nosotros. Esta unión con Jesús no se limita a razones externas o meras apariencias, es decir, no solo seguimos a Jesús porque nos cae bien o porque nos gusta lo que dice. Con la Confirmación nos convertimos en seres espirituales, en personas que viven del espíritu y que entablan una «relación» real con Dios. Somos suyos.

El **obispo Stefan Oster** dijo una vez en un sermón de Confirmación: «Que seamos suyos no significa simplemente que Él tire de nosotros con una correa como de un perro y que nosotros vayamos detrás. Que seamos suyos significa que somos sus amigos. Que somos hijos de Dios. Que formamos parte de Él porque nos decidimos por Él, libremente». Y, más adelante, dijo: «Convertiros en especialistas en relaciones con Dios y ayudad a los demás para que encuentren esta relación. Hemos de ser especialistas en relaciones con Dios porque solo así aprenderemos mejor cómo se puede tener una relación con Dios, cómo esta relación crece y nosotros lo hacemos en ella, y cómo ella nos guía. Debemos además ayudar a los demás para que se adentren en esta relación».

Pregunta 286: ¿Qué es la libertad y para qué sirve?

Pregunta 340: ¿Cómo se relaciona la gracia de Dios con nuestra libertad?

99 Cada uno posee el Espíritu Santo en la misma medida en que ama a la Iglesia de Cristo.

San Agustín (354–430)

UNIDAD

11

CURSO DE FE

¿Cómo nos reconcilia Dios con Él y con los demás?

Aquí vas a descubrir

por qué hasta el mismo papa se confiesa y
por qué no podemos ser Cristo si solo nos
importamos por nosotros.

Pregunta 67: ¿Qué es el pecado?

Pregunta 315: ¿Qué es en realidad un pecado?

Parece que vivimos en la era de las disculpas universales. Da lo igual lo que sucediera, siempre fueron los padres, las circunstancias, los políticos o los vecinos. Nos gusta ocuparnos del pecado y de la culpa, pero solo si tiene que ver con los demás.

1 Cor 15,3

Los psicólogos dicen, y con razón, que no podemos alcanzar una personalidad recia si nos machacamos constantemente y, por lo tanto, tampoco si no estamos en condiciones de querernos, de aceptarnos, tal y como somos. Esta es la razón por la que hoy se reincide en la importancia de escuchar a los niños desde el principio. Ahora bien, ¿es solo eso y nada tiene que ver el pecado aquí? En el Nuevo Testamento, por lo menos, se dice que «Cristo murió por nuestros pecados» (1 Cor 15,3). Y aún cuelgan crucifijos de las paredes de aulas y de juzgados. ¿Son solo reliquias de un oscuro tiempo pasado?

Fue a finales del siglo XIX cuando se empezó a aparcar el pecado. **Friedrich Nietzsche**, el filósofo radical, tenía algo en contra del «pecado». Pensaba que el pecado era «un sentimiento judío, una invención judía», algo que les hacía enfermar y era propio de una religión de esclavos. El pecado, dijo Nietzsche, se habría utilizado para lograr «contrición, pérdida de la dignidad, revolcarse en el polvo» y humillar así al ser humano. La frase «solo si te arrepientes Dios será clemente contigo» habría sido para un griego «motivo de carcajada y de irritación». El filósofo, por ello, no solo recomendaba la «indiferencia por las consecuencias naturales del pecado», sino que, además también, soñaba con una fuerza y belleza vitales, con una «magnífica bestia rubia». «El animal tiene que volver a salir, tiene que volver a las tierras salvajes; nobleza romana, árabe, germana, japonesa; héroes homéricos, vikingos, escandinavos: en esta necesidad son todos ellos iguales».

Pregunta 290: ¿Cómo nos ayuda Dios a llegar a ser hombres libres?

Ya sabemos lo que los nazis hicieron con todo esto. El nacionalsocialismo pensaba que el único pecado posible era «el pecado contra la sangre y la raza». La ideología nazi, en este sentido, quiso liberar a las personas de sus conciencias y así cegarlas para que no pudieran ver la deshumanización real. Solo de este modo podrían ocupar los primeros puestos los «superhombres» rubios, que además apenas prestarían atención a la demoníaca eliminación de los «infra-hombres», que eran deportados en vagones de ganado y llevados a las cámaras de gas. Lo importante, pensaron, era vaciar al pecado de su contenido, tomárselo a la ligera, reírse de él y excluirlo de la existencia humana. Pero hay una cosa clara: esto es una mentira. Es una mentira vital que, además, tiene dramáticas consecuencias. «Si decimos que no hemos pecado, nos engañamos y la verdad no está en nosotros» (1 Jn 1,8). La mentira, sin más, fue y es el *pecado original* del que leemos en el libro del Génesis. También el Evangelio de san Juan sabe quién es el «padre de la mentira» (Jn 8,44), un «homicida desde el principio»: se trata del diablo. Vamos, que no hay ningún motivo para quitarle importancia ni hacer «diabluras».

Pregunta 297: ¿Se puede formar la conciencia?

Pregunta 312: ¿Cómo sabe un hombre que ha pecado?

1 Jn 1,8

Jn 8,44

99 La treta más brillante del demonio es convencernos de que no existe.
Charles Baudelaire (1821–1867)

Pregunta 453: ¿Qué tiene que ver con Dios nuestra relación con la verdad?

Hasta aquí llegan muchas personas. Pero es cierto que cuesta entender qué puede tener que ver todo esto con el pecado. Quizás quede más claro con un pequeño juego mental. Vamos a sustituir la palabra «Dios» por la palabra «Absoluto». Añadámosle después un par de atributos: absolutamente bello, absolutamente verdadero, absolutamente bueno. Es cierto que a Dios no se le puede definir. Ahora bien, en la medida en que Él se encuentra por encima de toda la bondad, verdad y belleza del mundo, también Él ve todo lo que no es bueno; sabe qué no es verdadero ni bello, qué es *absolutamente imposible* junto a Dios. Pero el ser humano siempre tiene que hacer concesiones. ¿Te imaginas un mundo en el que Harvey Weinstein pudiera decir en el último momento: «Me parece que es bonito»? ¿Donald Trump, en esa última instancia: «Creo que es verdad»? ¿Y Monsanto: «Nos parece que está bien»?

> **❞** Que no haya hermano alguno en el mundo que haya pecado todo cuanto haya podido pecar, que, después que haya visto tus ojos, no se marche jamás sin tu misericordia, si pide misericordia.

San Francisco de Asís (aprox. 1181–1226)

Pregunta 232: ¿Qué debo hacer en una confesión?

Pues bien, Dios existe. Y no está lejos de nosotros. Es más, lo tenemos tan cerca que todo lo que sale mal aquí le acaba afectando, «absolutamente». Le llega hasta tal punto al corazón que acepta darlo todo, hasta su propio hijo, para reparar lo bueno, lo verdadero, lo bello, y para que nos reconciliemos con Él y entre nosotros. Dios, además, está entre las víctimas del pecado y entre aquellos que fueron deportados en vagones a Auschwitz. Pero también tiene una solución para los pecadores, ¡y para los que pecan en todos los niveles! Para los pecadores más humildes, los medianos y los

Dios es más grande que nuestro pecado. **Papa Francisco**

de gama alta. Incluso para la gente que no se moja y que causa daños que jamás podría restituir. Es el propio Dios quien nos reconcilia consigo mismo «por la muerte que Cristo sufrió en su cuerpo de carne» (Col 1,22).

Deberíamos de pagar por ello, pero ya paga Él por nosotros pidiéndonos solo que reconozcamos nuestros pecados: «En él, por su sangre, tenemos … el perdón de los pecados» (Ef 1,7).

Col 1,22

Pregunta 150: ¿Puede realmente la Iglesia perdonar los pecados?

Ef 1,7

> En su nombre «tenemos el perdón de los pecados»: esta es la profesión que los apóstoles pedían como credo de Bautismo. De haber proclamado Jesús este perdón únicamente como una mera verdad general, entonces nada habría tenido que ver con profesar su nombre. Si aprendimos la lección, podríamos olvidar al maestro. Jesús habría dicho entonces, como Sócrates, «no os preocupéis por Jesús, preocuparos por la verdad». Pero el Apóstol escribió: «En *Él* tenemos el perdón de los pecados».
> **Robert Spaemann** (1927–2019), filósofo alemán

¿Por qué la Santa Misa es el acontecimiento central de la Iglesia?

Aquí vas a descubrir

que los cristianos, atención, creen que un pedazo de pan es Cristo. La pregunta es: ¿por qué?

Pregunta 219: ¿Con qué frecuencia debe participar un católico en la Eucaristía?

Si preguntamos por la calle qué es algo «típico católico», la respuesta suele ser que los católicos tienen que ir todos los domingos a la iglesia. Bueno, eso de que «tienen» es relativo. ¿Tenemos que besar a nuestra pareja? Podríamos no hacerlo, pero ¿qué valor tiene un amor que no se muestra en caricias? La pregunta es la misma: ¿dónde está tu cristianismo si no acudes ahí donde Jesús se quiere encontrar

contigo? Una respuesta moderna podría ser: «Mi cristianismo está donde me da la gana». El asunto es: ¿de verdad que somos nosotros los que decidimos cuáles son las citas más decisivas de nuestras vidas? En realidad no. No podemos decidir si existiremos o no, ni cuándo naceremos, ni quiénes serán nuestros padres. Dios no sigue nuestras órdenes ni tampoco se presenta en un bosque si a nosotros nos apetece. Quien quiera encontrarse con Jesús, mejor que vaya a los sitios, símbolos y momentos que ÉL inauguró.

No se puede

Pregunta 168: ¿Por qué la Liturgia tiene prioridad en la vida de la Iglesia y de cada individuo?

¿Qué tiene que ver Jesús con ese evento incomprensible de cada domingo en una iglesia helada? Es verdad que todo lo que allí sucede a veces ser podría más claro. Hay que admitirlo, pero también que explicarlo. A ver por dónde empezamos. ¿Quizás con el hecho de que la Santa Misa no es *otra forma más de celebración litúrgica*? La Misa no es una celebración «algo más festiva» que las otras alternativas de entre las que podríamos elegir. La Santa Misa no tiene rival, sino que es única. Tampoco es cuestión de gustos si un día voy a Misa y otro la cambio por una meditación en la cripta. Demos con la clave de su «PUV»: en la Santa Misa recibes el cuerpo de Cristo y, en la medida que lo consumes, te conviertes tú mismo en «Cuerpo de Cristo». «Cuerpo de Cristo», por cierto, es solo otro nombre para Iglesia. Sería absurdo que alguien dijera: «Yo quiero pertenecer a la Iglesia sin formar parte de ella».

> **Pregunta 126:** ¿Qué quiere decir que «la Iglesia es el Cuerpo de Cristo»?
>
> **PUV**
> Punto único de venta o, conforme a sus siglas en inglés, USP (Unique Selling Point)

¿Te preguntas si la Misa es una obra de teatro sobre el pasado, como sucede con los pasos de Semana Santa? No, no lo es. En los pasos de Semana Santa no muere nadie (por mucha sangre artificial que se derrame). Durante la Santa Misa, sí. En cada celebración se repite el sacrificio de Cristo en la Cruz de verdad y ante nuestros ojos. No es que el sacerdote represente una obra de teatro que se llama *La Última Cena* para explicarnos algunas cosas. No, ¡la Última Cena tiene lugar de verdad! Y nosotros podemos formar parte de ella presencialmente. No es que nos la estemos imaginando.

> **Pregunta 216:** ¿De qué modo está presente Cristo cuando se celebra la Eucaristía?

anteponer nada a la Misa. **San Benito de Nursia** (aprox. 480–547)

Fijémonos con detalle. Vamos a intentar grabar un primer plano de lo que pasó en aquella habitación. La Última cena se celebró la noche en que Jesús fue entregado, en la víspera de la Pascua. Jesús hizo lo que todos los padres de familia habrían hecho. Sentó a su mesa a «los doce» y celebró con ellos una especie de liturgia de ofrenda: la «Eucaristía» (=agradecimiento). Para ello escogió unas palabras insondables, ¡seguro

> **Pregunta 127:** ¿Qué es la Liturgia?

> **B** Yo soy el pan vivo que ha bajado del cielo; el que coma de este pan vivirá para siempre. Y el pan que yo daré es mi carne por la vida del mundo.
>
> Jn 6,51

B Lc 22,19

B Lc 22,20

Y Pregunta 99: ¿Qué sucedió en la Última Cena?

B 1 Cor 11,24

B Lc 22,18

que a los apóstoles se les congeló la sangre! Con todos allí reunidos, reza, pide y, tomando el pan, les dice: «Esto es mi cuerpo, que se entrega por vosotros» (Lc 22,19). ¿Eh Perdón? En efecto: Él se convierte en la *ofrenda* que se entrega, ¡ay si lo escucha un sumo sacerdote! Pero la cosa no queda ahí. Jesús toma el cáliz con el vino y les dice: «Este cáliz es la nueva alianza en mi sangre, que es derramada por vosotros» (Lc 22,20). Es para haberlo vivido. La Antigua Alianza de las Doce Tribus con Dios era para el Israel de aquel entonces lo más importante. Pues bien, de repente viene Jesús y cierra una Nueva Alianza con otros doce, que son los doce pescadores que se le juntaron. Y encima, cierra esta «Nueva Alianza» con su propia sangre. Los apóstoles deben comer su cuerpo y deben beber su sangre para ser admitidos en dicha Alianza. ¡Menudo atrevimiento! ¿Y qué hace el maestro ahí? Les pide claramente: «Haced esto en memoria mía» (1 Cor 11,24). ¿De qué va? ¿Qué significa eso de «no beberé desde ahora del fruto de la vid hasta que venga el reino de Dios» (Lc 22,18)? Me imagino que a más de uno, como a san Lucas, a lo mejor se le pasó por la cabeza que a aquel tipo se le había ido la pinza.

Hay que reconocer que los apóstoles *no podían* comprender lo que Jesús quería decirles. Por lo menos no antes de que derramara su sangre en el Gólgota, y de que pudieran ver su tumba vacía y reencontrarse con el resucitado que había partido con ellos el pan. Quizás solo entonces lograron comprender aquello de entregar su cuerpo, de verter su sangre, de una Nueva Alianza y del comienzo de una historia de Dios con los hombres a partir de Jesús. Pero el mensaje de Jesús caló. Es escalofriante ver cómo los primeros cristianos se juntaban ya los domingos para celebrar juntos la liturgia y compartir con Jesús el pan. La Iglesia, aún hoy, nace de la Eucaristía. Por favor, ¡vayamos!

Pregunta 208: ¿Qué es la Sagrada Eucaristía?

Pregunta 220: ¿Cómo debo prepararme para poder recibir la Sagrada Eucaristía?

3.44: ¿Por qué es tan aburrida la misa?

99 Cuando comulgas te pierdes en Dios como una gota de agua en el océano. Nada os puede separar ya. Si después de comulgar alguien te preguntase qué llevas a casa, podrías contestarle: «Me llevo el cielo conmigo». Es exactamente así. ... Pero nuestra fe no es lo suficientemente grande, no entendemos del todo nuestra dignidad. Cuando nos alejamos del sagrado altar somos igual de felices que los magos de Oriente después de abrazar al niño Jesús, que se lo llevaron consigo.

San Juan María Vianney (1786–1859), Santo Cura de Ars

¿Cómo llama Dios?

Aquí vas a descubrir

cómo optimizar tu biografía. Los cristianos no la

diseñan en una pizarra, sino cuando escuchan

a Dios. ¿Qué quiere Dios de mí? ¿Para qué estoy

aquí?

▼ **Pregunta 18:** ¿Qué importancia tiene el Nuevo Testamento para los cristianos?

▼ **Pregunta 8:** ¿Cómo se revela Dios en el Antiguo Testamento?

Gén 12,2

En las religiones antiguas, los «dioses» solían ser seres caprichosos y mudos. Si hacía mal tiempo, se perdía una cosecha o fallaban los planes de guerra, se pensaba que la causa era la cólera de los dioses. Por eso se les pedía y rogaba a voces que se apiadasen de las víctimas para que el mundo pudiera funcionar mejor. A veces entre los cristianos nos encontramos restos de este retrato primitivo de Dios.

Ahora bien, hubo quien hace miles de años, en Oriente Próximo, se dio cuenta de que Dios era algo bien diferente a todo esto. A Abrahán se le aparece de repente Dios, que es alguien a quien se le puede llamar. El Dios de Abrahán *quiere* algo, y no meras ofrendas con humo, con animales o con sacrificios humanos. Así dice: «Sal de tu tierra ... hacia la tierra que te mostraré» (Gén 12,1). Dios quiere algo bueno para aquel padre de multitudes: «Serás una bendición» (Gén 12,2). Con Abrahán se inicia la historia sin fin de un Dios que se involucra bendiciendo, además de *llamando* y *capacitando*. Es un Dios que, además, *respalda* claramente a su pueblo ante las dificultades. Y todos pueden conocerlo, no solo el pueblo de Israel, sino el mundo entero. Jesús aclaró todo esto mejor aún. No solo capacitó a los pescadores para que fueran «pescadores de hombres» (Mc 1,17), sino también para que asumieran una labor muy especial; una labor para todos y cada uno de los seres humanos: «Quiere que todos los hombres se salven y lleguen al conocimiento de la verdad» (1 Tim 2,4).

 **Mc 1,17**

1 Tim 2,4

Jesús quiso ante todo juntar a las personas con Dios en una relación de comunicación, de amor y de amistad. Él mismo participa además de este encuen-

 tro de forma divina: «Venid a *mí* todos los que estáis cansados y agobiados, y yo os aliviaré» (Mt 11,28). **Madre Teresa** (1910–1997) reflexionó intensamente sobre este Dios que llama y que capacita:

Mt 11,28

«Eres especial para Dios. Te quiere honrar llenándote con su presencia. Te ha llamado, le perteneces. Superarás todos tus fallos, humillaciones y sufrimientos cuando te des cuenta de ello; cuando te des cuenta del amor que Jesús te tiene y que tú sientes por Él».

Cada vez que Dios llama, por cierto, esto sucede de diferente manera. Y lo normal es que no sepamos al principio dónde y para qué nos querrá. Conozco a una mujer muy querida entre los moribundos y a la que

„„ Si tu vocación es ser barrendero, barre entonces las calles como pintaba Miguel Ángel, como componía Beethoven o como escribía Shakespeare. Barre las calles tan bien que todos en el cielo y la tierra digan: «Aquí vivía un barrendero grandioso que hizo bien su trabajo».

Martin Luther King (1929–1968)

llaman siempre porque nadie como ella sabe ayudar mejor al que se está muriendo. Ella les ayuda a encontrar el reposo eterno, y lo sabe: «Esta es *mi* vocación».

Pregunta 1: ¿Para qué estamos en la tierra?

Pregunta 342: ¿Debemos todos ser «santos»?

En la Iglesia, sin embargo, no solo existen este tipo de vocaciones. ¿En qué consiste concretamente la vocación de un sacerdote o de un obispo? La respuesta es breve: son los sucesores de los apóstoles y han de hacer lo mismo que ellos. El Nuevo Testamento describe las primeras estructuras de la Iglesia. El Señor en la Iglesia es siempre Jesucristo: Él es quien actúa, perdona los pecados, enseña, sana y se ofrece a sí mismo. En torno a Jesús están sus discípulos: Jesús los juntó y acogió en una especie de escuela. Los discípulos se fijan bien en lo que hace Jesús, hablan con él, se hacen cargo de sus intenciones, y finalmente son enviados «de dos en dos a todos los pueblos y lugares adonde pensaba ir Él» (Lc 10,1). A estos discípulos no los llama Jesús «siervos», sino «amigos» (Jn 15,15). Los discípulos de Jesús son el motor de la Iglesia. Quizá ahí esté la respuesta a la crisis que sufre la Iglesia en nuestros días: posiblemente faltan suficientes discípulos y comunidades. Falta gente que en el mundo normal se involucre por Jesús a través de su relación personal con Cristo. Siempre que se menciona la palabra «discípulo» pensamos directamente en las órdenes religiosas, pero lo cierto es que los discípulos en ellas viven solo de forma modélica lo que *todos los discípulos* deberían llevar a cabo en la práctica.

Pregunta 137: ¿Por qué la Iglesia se llama apostólica?

Pregunta 11: ¿Por qué transmitimos la fe?

Pregunta 139: ¿En qué consiste la vocación de los laicos?

De entre los discípulos eligió Jesús a los apóstoles y los puso mirando a la Iglesia para que le presten su apoyo insustituible. Los apóstoles deben representar a Jesús y hacer lo que solo Él sabe: construir una Iglesia desde los sacramentos, partir el pan (1 Cor 11,24) y perdonar los pecados. Así se lo dice: «A quienes les perdonéis los pecados, les quedan perdonados» (Jn 20,23). La labor de los apóstoles de Jesús es también proclamar la Palabra «a tiempo y a destiempo» (2 Tim 4,2) y guiar en el nombre de Jesús. La vida pública cuestiona en la actualidad a los sacerdotes, y no solo por la cuestión del celibato. Los hay

 1 Cor 11,23-24

Jn 20,23

2 Tim 4,2

> El sacerdote es una custodia; su función es mostrar a Jesús, debe ponerse a un lado y dejar que veamos a Jesús.

Beato Charles de Foucauld (1858–1916)

que dicen que una Iglesia se puede organizar igual de bien sin curas. Pero esto no es verdad. Se puede hablar sobre el celibato, que es un símbolo extremadamente adecuado y pedido por la Iglesia, y que además se corresponde con la forma de vida de Jesús. Pero no podemos hablar ni imaginar una Iglesia sin sacerdotes. Sería destruir su matriz. Por cierto: en una Iglesia en la que nacen discípulos suficientes hay también vocaciones al sacerdocio.

Pregunta 259: ¿En qué se diferencia el sacerdocio común de los fieles del sacerdocio ordenado?

¿Qué significa la vida célibe en la Iglesia?

Aquí vas a descubrir

el secreto de por qué don Camilo rebosa de amor

y no está nunca solo. Y por qué los sacerdotes

son en la vida real gente con relaciones: viven de

Dios.

Pregunta 265: ¿Todas las personas están llamadas al matrimonio?

Mt 19,12

Pregunta 145: ¿Por qué quiere Jesús que existan personas que vivan para siempre una vida en pobreza, castidad y obediencia?

Siempre me sorprende que los laicos no tengan más problemas con la Iglesia que el «celibato». Nadie obliga a los cristianos a seguir a Cristo en soltería, a ningún cristiano se obliga a vivir así. Cada cual lo elige por sí mismo «por el reino de los cielos» (Mt 19,12). Es una pena que algunos miembros de órdenes religiosas o sacerdotes den tan mala imagen del celibato. En una ocasión, durante unas jornadas católicas, fui testigo de un debate singular. El director de un seminario sacerdotal había expuesto su teoría de que el celibato puede ser algo ameno. Recuerdo que habló de la vida célibe como una forma de vida que, a pesar de sus limitaciones emocionales, estaba pensada para aquellos que la considerasen como la mejor. Entonces un sacerdote se levantó algo enfadado y le contestó que aquello era tener cara dura, y dijo algo así: «¿A qué hombre normal le podría gustar?». El director no dejó de defender su valiente postura, ¿cómo iba a decir lo contrario, si lo que quería era ganar candidatos?

El celibato en la Iglesia es un tema con muchos matices y que se vive de maneras diferentes. Tenemos ejemplos de todo tipo. Hay gente que decide libremente no casarse, y que por ejemplo ingresa en órdenes religiosas. Y luego, en algunas Iglesias del rito oriental, resulta que hay sacerdotes casados: porque lo estaban ya o porque se pueden casar. Es más, la Iglesia católica romana pide el celibato solo desde hace unos unos mil años. El celibato sacerdotal se impuso por varias razones que, desde

Un gran problema de la cristiandad del mundo de hoy es que ya no se piensa en el futuro de Dios: parece que basta el presente de este mundo. Queremos tener solo este mundo, vivir solo en este mundo. Así cerramos las puertas a la verdadera grandeza de nuestra existencia. El sentido del celibato como anticipación del futuro significa precisamente abrir estas puertas, hacer más grande el mundo, mostrar la realidad del futuro que debemos vivir ya como presente.

Papa Benedicto XVI

> El sacerdote católico renuncia a 1000 mujeres; el hombre casado a 999.

Gilbert Keith Chesterton (1874–1936)

luego, no solo fueron espirituales, sino también políticas. Si al sacerdocio se vinculan hilos de sangre, crece el peligro de que lo más santo se convierta en algo hereditario del patrimonio familiar. Se trata por tanto «únicamente» de un mandamiento de la Iglesia. Si algún día las circunstancias cambian, sin duda se podrá repensar.

¿Qué habla hoy en día en contra y a favor del celibato? Veamos los argumentos en contra. En primer lugar se piensa que muchos eligieron esta forma de vida sin estar profundamente convencidos. En segundo lugar está el tema de los escándalos de abuso, que vistos desde fuera hacen pensar que todos los curas son unos salidos. Es cierto que en su mayoría fueron chicos jóvenes de los que se abusó. Ahora bien, la opinión pública ha creado una especie de realidad paralela, una imagen negativa y devastadora que no es verdad. Parece como si todos los sacerdotes fueran no solo personas inapropiadas, sino además hombres sexualmente

Pregunta 386: ¿Por qué el quinto mandamiento protege también la integridad física y psíquica de la persona?

subdesarrollados. ¡Por favor! ¡Esto no es así! Y, en tercer lugar, está el asunto de la falta de vocaciones. Se dice que la gente no quiere ser sacerdote por las duras exigencias que requiere una vida célibe, y que es normal que en algunas diócesis están los seminarios casi vacíos. Y que por eso hay cada vez más comunidades que no pueden celebrar la Eucaristía regularmente porque les faltan sacerdotes.

Pregunta 92: ¿Para qué llamó Jesús a los apóstoles?

Desde luego que habría razones para liberar a los sacerdotes del celibato. Ahora bien, también las hay que hablen a favor de él. Ante todo, así es como Jesús vivió, célibe, únicamente para el Padre. Jesús, que estaba unido al cielo, pudo de este modo dedicarse por completo a la humanidad. Aquello de que tuvo una amante que se llamó María Magdalena y con la que al final no se casó es un invento de escritores de segunda. Jesús mismo fue quien invitó a practicar esta forma de vida tan provocadora, de una vida «solo para Dios». En la Iglesia antigua, asimismo, se convencieron de que vivir como Jesús era la mejor forma para garantizar la sucesión apostólica, que asumen hoy sacerdotes y obispos. Con Jesús se desmoronó aquel antiguo ciclo del mundo de concebir, nacer y morir: «La representación de este mundo se termina» (1 Cor 7,31). Aquellos que llevan a cabo la novedad radical que introdujo Jesús son precisamente los célibes. Él fue quien se lo grabó en su corazón, aunque «no todos entienden esto, solo los que han recibido ese don» (Mt 19,11). Dios es pues «todo» lo que necesita el ser humano. Algún día entenderemos a santa Teresa de Ávila: «Quien a Dios tiene nada le falta; solo Dios basta».

1 Cor 7,31

Mt 19,11

Pregunta 250: ¿Cómo entiende la Iglesia el sacramento del Orden?

El sacerdote que lleva una vida célibe, piadosa y de fiar representa con toda su existencia a Cristo. No es un funcionario que deba hacer su trabajo, regar el césped a las cinco de la tarde o jugar con los niños al Mikado. Y entonces

como hoy, la Iglesia está convencida de que Dios envía
suficientes vocaciones a aquellos lugares donde está el
auténtico caldo de cultivo de verdaderos discípulos y
sucesores de Cristo. Esta puede ser pues la razón, quizás,
de que en algunas partes no dejen de crecer las vocaciones al sacerdocio mientras que, en otras, no haya ni
un alma en los seminarios o en las casas de las órdenes.
Pero jamás será la solución hacer del ministerio sacerdotal una carrera civil, una oportunidad laboral o un puesto
de trabajo para licenciados en Teología.

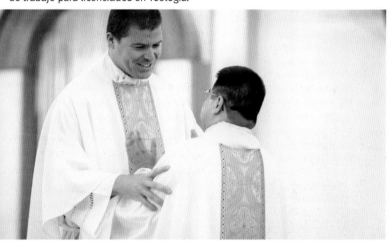

Habría eso sí que deshacerse de la palabra «celibato», que
no es del todo precisa. La palabra viene de *caelebs* (=estar
solo), y justo eso es lo que nunca debería de pasarles a
aquellos que no se casan: vivir para ellos solos. También
la vida célibe ha de ser «en una relación», una historia de
amor con Dios que no deje nunca de crecer. Si no es así,
el riesgo de que el «célibe» sea un excéntrico solterón es
grande. Pero el «celibato» vivido modélicamente es algo
social, es amor, es unión, es comunidad. Y, en este sentido,
la valentía de la vida célibe tiene más que ver con la valentía de la vida en matrimonio que con la incapacidad de
vivir en pareja que defienden algunos solteros.

CELIBATO

Pregunta 122: ¿Para
qué quiere Dios la
Iglesia?

4.2.1: ¿Por qué elegir
el celibato si las personas
están tan bien preparadas
para el matrimonio?

¿Qué significa en la Iglesia «casarse»?

AQUÍ VAS A DESCUBRIR

por qué tenemos que encontrar sí o sí a la persona a la que merece la pena llevar a la iglesia, y no solo el día de la boda, sino también otras veces.

Pregunta 400: ¿Qué quiere decir que el ser humano es un ser sexuado?

Pregunta 64: ¿Por qué ha creado Dios al hombre como varón y mujer?

Pregunta 401: ¿Existe una primacía de un sexo sobre el otro?

Uno de los mejores inventos de Dios fue quizás crear al ser humano como *hombre* y *mujer*. Sin amor, erotismo ni todas las fascinantes diferencias entre el hombre y la mujer, ¿no sería el mundo aburridísimo? 6500 genes actúan de manera diferente en cada sexo. Pero aun así, hombre y mujer se compadecen si solo trabajan entre ellos. Es decir, una amiga se apiada rápido de la otra: «Y en tu trabajo, ¿estás todo el día rodeada de mujeres? ¿Cómo lo aguantas?». Y un amigo le dice a otro: «¿En serio que en tu empresa sois todo hombres? ¡Pues menudo aburrimiento!». Dios no solo creó diferentes al hombre y a la mujer, sino que los hizo el uno para el otro, para que se complementen, para que juntos logren intuir su similitud con Dios.

 99 La mayoría de la gente tiene miedo a perder la libertad al amar y no se cree que el amor signifique al mismo tiempo el mayor desarrollo de la libertad.

Erich Fromm (1900–1980)

Dios sabe que los hombres son de Marte y las mujeres de Venus. Pero parece como si también fuera un truco suyo el que exista esa plataforma única por la que el hombre y la mujer se juntan para siempre: *el amor*. No fueron las suegras las que se inventaron aquello de que el amor entre ambos termine en matrimonio. Unirse a alguien sin reservas es parte de la esencia humana y del amor.

El amor es algo muy profundo, es un estado en el que dos personas prometen darlo todo, ¡hasta la propia vida! El amor hace que podamos entregarnos con locura a otra persona. Sin más. Sin condiciones. Pase lo que pase. Da igual si te pones malo, si te salen canas, si eres feo… Albert Camus

Pregunta 402: ¿Qué es el amor?

Pregunta 260: ¿Por qué ha hecho Dios al hombre y a la mujer el uno para el otro?

dijo al respecto que «amar a una persona es aceptar envejecer con ella». El amor es un regalo, y los regalos no se devuelven. Hombre y mujer, juntos, proporcionan además el cálido hogar en el que los niños pueden nacer y crecer felices.

99 Amar a alguien significa ser el único que ve un milagro oculto para los demás.

Fiodor M. Dostoievski (1821–1881)

Y **Pregunta 418:** ¿Qué importancia tiene un hijo en el matrimonio?

Y **Pregunta 261:** ¿Cómo se lleva a cabo el sacramento del Matrimonio?

Eso sí, el papa Francisco lo advierte también: «El *matrimonio* es también un trabajo de todos los días, podría decir un trabajo artesanal, un trabajo de orfebrería, porque el marido tiene la tarea de hacer más mujer a su esposa y la esposa tiene la tarea de hacer más hombre a su marido. … Y así, no lo sé, pienso en ti que un día irás por las calles de tu pueblo y la gente dirá: 'Mira aquella hermosa mujer, ¡qué fuerte!…'. 'Con el marido que tiene, se comprende'. Y también a ti: 'Mira aquél, cómo es'. 'Con la esposa que tiene, se comprende'. Es esto, llegar a esto: hacernos crecer juntos, el uno al otro».

99 Es el tiempo que has perdido en tu rosa lo que hace a tu rosa tan importante.

Antoine de Saint-Exupéry (1900–1944)

Esto, que humanamente es arriesgado, necesita una buena base. Para ello acuden hombre y mujer al sacerdote, para recibir el «sacramento del Matrimonio». Su valor es muy superior al del contrato matrimonial. Dios ofrece a la pareja una alianza, y Él mismo se involucra en la unión del hombre y de la mujer juntándolos en lo más profundo de su amor divino e irrevocable: «Lo que Dios ha unido, que no lo separe el hombre» (Mt 19,6).

Eso sí, es muy importante que quede claro antes todo lo que conlleva casarse. Hay que saberlo antes de prometerse amor fiel «hasta que la muerte nos separe». Puede sorprender, pero el matrimonio conlleva sexo. Un matrimonio no se consolida con una mera promesa, sino en el momento en que hombre y mujer se acuestan juntos, y ambos se unen en «una sola carne» (Mt 19,5). ¡Y sigue habiendo quien dice que Dios no tiene nada que ver con el sexo!

Pregunta 424: ¿Qué es el adulterio? ¿Es lícito el divorcio?

 Mt 19,6

Pregunta 404: ¿Qué es el amor casto? ¿Por qué debe un cristiano vivir castamente?

Cuando Jesús reincide en la indisolubilidad del matrimonio no les está imponiendo a los novios un mandamiento que los encadene para siempre. Al revés, más bien los está liberando para que reciban el gran amor no solo de parte de su pareja, sino también de Dios. Solo con Él es verdad la conocida proclamación del amor: «El amor no pasa nunca» (1 Cor 13,8).

1 Cor 13,8

> ❞ Un matrimonio destrozado es un mundo destrozado.

Gertrud Fussenegger (1912–2009), escritora austriaca

Hay además otras *condiciones* antes de casarse: ambos deben estar libres de vínculos cuando se dirijan al altar; la promesa matrimonial debe abarcarlo todo y realizarse públicamente; él y ella deben decidir libremente y por su propia cuenta dar este paso. El matrimonio no es válido si alguno de los dos en el momento de la celebración está actuando por obligación, miedo o, incluso, por presiones externas o internas. Tampoco si te casas con alguien solo porque sea el padre o la madre de tu hijo, o porque te apetezca independizarte. Y no sirve casarse por la Iglesia si lo que en el fondo piensas es: «Vamos a probar, y lo que duré duró». Del mismo modo solo se cumple el «consentimiento matrimonial» (=ambos lo quieren libremente) si los dos renuncian a aventuras amorosas extramatrimoniales. Y hay un último requisito: que ambos estén abiertos a tener hijos. El matrimonio no es válido si alguno de los dos piensa que eso no va con él o con ella.

Pregunta 417: ¿Qué sentido tiene el acto conyugal dentro del matrimonio?

Pregunta 262: ¿Qué se requiere necesariamente para poder casarse por la Iglesia?

📖 Grábame como sello en tu corazón, grábame como sello en tu brazo, porque es fuerte el amor como la muerte, es cruel la pasión como el abismo; sus dardos son dardos de fuego, llamaradas divinas.

Cant 8,6

La belleza y la grandeza del matrimonio cristiano, sin embargo, se descubren realmente cuando se entiende como un símbolo del amor y de la entrega de Dios: «Maridos, amad a vuestras mujeres como Cristo amó a su Iglesia. ... Así deben también los maridos amar a sus mujeres, como cuerpos suyos que son. Amar a su mujer es amarse a sí mismo» (Ef 5,25).

📖 **Ef 5,25**

UNIDAD

16

CURSO DE FE

¿Qué tienen que ver los mandamientos con el amor?

Aquí vas a descubrir

cómo actuar correcta y cariñosamente, y por qué es necesaria una serie de medidas para no llevarse un chasco consigo mismo.

Pregunta 295: ¿Qué es la conciencia?

Pregunta 298: ¿Es culpable ante Dios alguien que actúa erróneamente, pero siguiendo su conciencia?

La conciencia es un asunto delicado. No son muchos los que pueden vivir sin ella, como dijo Stanisław Lec en su famosa cita: «Tenía la conciencia limpia; no la usaba nunca». Luego hay otros que solo la escuchan justo antes de planear un gran crimen. Solemos ver estas historias en obras de teatro, donde se representa en pequeño lo que sucede a gran escala. Sobre las tablas se miente, se engaña y se es infiel... siempre en nombre de la conciencia personal de cada uno. Pero no hay ningún pecado que fuera cometido «con la mejor de las conciencias», esto es, desoyendo los mandamientos.

Pregunta 291: ¿Cómo puede un hombre distinguir si sus actos son buenos o son malos?

El obispo auxiliar de Colonia Klaus Dick explicó con una fantástica anécdota cuál es la relación entre mandamientos y conciencia. Supongamos que unos niños están jugando al fútbol en el salón de su casa.

> En lo que concierne a la conciencia, dos son las formas de comportamiento de las personas. Para unos, la conciencia es tan solo un tipo de sentido para guardar las formas, una especie de buen gusto que nos dice haz esto o lo otro. Para otros, es el eco de la voz de Dios. Todo depende de esta diferenciación. El primer camino no es el camino de la fe; el segundo, sí.
> **San John Henry Newman** (1801–1890)

El padre entra por la puerta y se queda
horrorizado: «¿Es que acaso no sabéis que
este jarrón de aquí es de porcelana china?
Como lo rompáis, no habrá quien consuele
a vuestra madre. Venga, dejad el balón».

Los niños tienen en este momento que elegir: pueden
dejarlo o pueden seguir jugando en el salón, y arries-
garse a que suceda la catástrofe. Los chavales, en este
caso, saben cuán es «el mandamiento». Su conciencia
sabe qué dictar, conocen las terribles consecuencias de
una decisión equivocada. Así debería suceder siempre
si escuchamos nuestras conciencias, esto es, tenemos
que examinar siempre nuestras actuaciones conforme a los mandamientos. Para ello, naturalmente, hay
que conocer los diez mandamientos (cf. Éx 20,2-17 y Dt
5,6-21), pero también saber que jamás serán conductas
adecuadas la mentira, la soberbia, el robo, la envidia,
el odio, la difamación, el adulterio o el asesinato.

Éx 20,2–17
Dt 5,6–21

Se ha intentado separar el mandamiento del amor del
Antiguo Testamento, donde se ha querido ver a veces
una perversa religión de normas. Hasta se intentó
justificar citando a san Agustín, que dijo «ama y haz lo
que quieras». Pero afirmar algo así es manipular para
encubrir faltas individuales causadas por el instinto.
Ni Jesús ni san Agustín son manipulables. A san Agustín hay que entenderlo de este modo: si de verdad
has conocido ya el amor y estás en él, no tendrás que
actuar bajo mandamientos, sino que serás íntegro
ya. En el caso de Jesús, podemos citar las siguientes
palabras del Sermón de la montaña (que habría que
leer por cierto más veces): «En verdad os digo que antes pasarán el cielo y la tierra que deje de cumplirse
hasta la última letra o tilde de la ley. El que se salte
uno solo de los preceptos menos importantes y se lo
enseñe así a los hombres será el menos importante
en el reino de los cielos. Pero quien los cumpla y
enseñe será grande en el reino de los cielos» (Mt 5,18-
19). No es que Jesús «recomiende» los mandamientos,

Pregunta 309:
¿Qué es el amor?

Pregunta 349:
¿Cuáles son los diez
mandamientos?

Pregunta 351: ¿No
están superados los
diez mandamientos?

Mt 5,18–19

sino que encima reincide en ellos: «Habéis oído que se dijo a los antiguos: 'No matarás', y el que mate será reo de juicio. Pero yo os digo: todo el que se deja llevar de la cólera contra su hermano será procesado» (Mt 5,21-22).

Mt 5,21–22

Pregunta 348: «Maestro, ¿qué tengo que hacer de bueno para obtener la vida eterna?» (Mt 19,17)

Mc 12,30

Este mismo Jesús, no obstante, resumió también los diez mandamientos en uno, en el mandamiento del amor, y nos pidió amar a Dios «con todo tu corazón, con toda tu alma, con toda tu mente, con todo tu ser» (Mc 12,30), así como «a tu prójimo como a ti

TABLA ORIGINAL DE LOS DIEZ MANDAMIENTOS

I
II
III
IV
V
VI
VII
VIII
IX
X

mismo», porque «no hay mandamiento mayor que estos» (Mc 12,31). Pero… ¿no se pedía ya en el Antiguo Testamento que se amara a Dios y al próximo? Pues sí, es verdad. ¿Qué es entonces lo nuevo del «mandamiento nuevo» de Jesús? ¿Qué quiere decir eso de «que os améis unos a otros» (Jn 13,34)? La novedad de este mandamiento del amor es precisamente que Jesús se erige como la medida y el punto de comparación en el amor. De ahí que diga: «Como yo os he amado, amaos también unos a otros» (Jn 13,34). ¿Qué hizo Jesús en este sentido para convertirse en medida de amor? Pues morir por nosotros, lo dice san Pablo, «cuando éramos enemigos» (Rom 5,10). En pocas palabras: la novedad del mandamiento del amor es el *amor al enemigo:* «Habéis oído que se dijo: 'Amarás a tu prójimo' y aborrecerás a tu enemigo. Pero yo os digo: Amad a vuestros enemigos y rezad por los que os persiguen» (Mt 5,43-44). Este es el estilo de Jesús. El amor al enemigo ha sido siempre algo muy particular en la historia de las religiones. Hasta tal punto que el autor musulmán Navid Kermani dijo en una ocasión que entendería que todos los cristianos se sintieran orgullosos de este amor poniéndose una valiosa corona en la frente.

De repente, Jesús habla de amar al prójimo como a sí mismo. Pero también a esto hay que darle una vuelta. Hay madres que nunca piensan en sí mismas y acaban mal. Amarse a sí mismo es, sin duda, un mandamiento igual de obligatorio que amar al prójimo.

Mc 12,30–31

Pregunta 337: ¿Cómo somos salvados?

Jn 13,34

Pregunta 34: ¿Qué hay que hacer cuando se ha conocido a Dios?

Rom 5,10

Mt 5,43–44

Pregunta 387: ¿Cómo debemos tratar nuestro cuerpo?

> Cuando a nuestro corazón le falta el amor tiene un anhelo de amor. Así se empieza a amar.

San Francisco de Sales (1567–1622)

¿Qué hace del ser humano un ser humano?

Aquí vas a descubrir

la embarazosa historia de un emperador desnudo,

así como la pregunta de cuánto vale un ser humano

y cómo se pueden poner en buena forma la mente,

el cuerpo y el alma.

Pregunta 301: ¿Cómo se llega a ser prudente?

Pregunta 303: ¿Qué significa ser fuerte?

Existe un cuento sobre un emperador al que no le preocupaba otra cosa que no fueran sus trajes. Un día, dos timadores le engañaron y le dijeron que podrían hacerle un traje con los hilos más nobles, como los que solo llevan las personas inteligentes y dignas. Ambos se pusieron –aparentemente– manos a la obra y le presentaron al emperador un traje que era invisible, como si hubiera sido tejido con hilos que no se ven. Mientras lo estaban vistiendo, el emperador se fijó en el espejo y naturalmente se dio cuenta de que estaba desnudo, pero su orgullo era tan grande que no consintió admitir que le habían timado. Así que todos sus ministros y asistentes de corte empezaron también a admirarle y mostrarse fascinados por aquel traje nuevo inclinándose ante él. Entonces el emperador decidió salir a la calle, donde volvió a suceder lo mismo. Nadie quería jugársela, así que todos los que le veían admiraban aquel traje invisible. Fue sin embargo un niño el único que dijo: «¡Pero si el emperador está desnudo!».

A nadie le gusta reconocer sus puntos débiles. Esa es la razón por la que nos escondemos no solo detrás de trajes, sino también detrás de honores, méritos, títulos, sueldos, coches de lujo y listas de amantes. Solemos inventarnos biografías brillantes que al final nos terminamos creyendo. Pero las bellas apariencias se tambalean pronto. La fachada se viene en seguida abajo cuando vienen la crisis y la enfermedad, cuando se fracasa sin ser culpable o si simplemente tenemos mala suerte. Cuando san Francisco presintió que la muerte estaba ya cerca, pidió que le tumbaran desnudo en el suelo de la Iglesia de la Porciúncula. Ya lo había dicho Job en la Biblia: «Desnudo salí del vientre de mi madre y desnudo volveré a Él» (Job 1,21). También lo dijo Lutero en sus últimas palabras: «Todos somos mendigos, esa es la verdad». Sí, esa es la verdad. Como tarde estaremos desnudos cuando nos

Pregunta 300: ¿Por qué debemos cultivarnos a nosotros mismos?

Pregunta 163: ¿Qué es el Juicio Final?

presentemos ante el Señor. Y allí ya no contará lo que fuimos en el mundo, las muchas empresas que fundamos o cuántas casas construimos. Más bien se nos preguntará si nos revestimos de «compasión entrañable, bondad, humildad, mansedumbre, paciencia» (Col 3,12). Se nos preguntará, en definitiva, si fuimos «humanos».

Col 3,12

Todos los seres humanos nacen libres e iguales en dignidad y derechos. Declaración Universal de Derechos Humanos

Ahora bien, ¿qué es lo que en realidad hace del ser humano un ser humano? De primeras nos viene a la cabeza una definición muy elevada al respecto. Ahora bien, en cuanto tenemos que vérnoslas con un caso conflictivo, tal concepto explota como una pompa de jabón. Un bebé en el vientre materno, ¿es ya ser humano, es solo medio humano o no es todavía ser humano? La mujer anciana y demente en la residencia, ¿es todavía un ser humano o es ya solo un vegetal, y por tanto una criatura residual sobre la que tenemos que pensar en cómo deshacernos de ella? Un alto directivo de Mercedes, ¿vale más que un huérfano de Mumbai? Los cristianos, y hacen bien, no se dejan llevar por estos debates. Para ellos, el ser humano no tiene un valor que se pueda medir ni poner en duda, sino que tiene una dignidad única y que no se puede perder. El fundamento de esta dignidad *no está* en el ser humano mismo, sino en Dios, que es quien crea, mantiene, redime

Pregunta 382: ¿Está permitida la eutanasia?

Pregunta 383: ¿Por qué no es aceptable el aborto en ninguna fase del desarrollo del embrión?

4.27: ¿Qué hay de malo en las pruebas prenatales?

> **❝** Todo tiene un precio o una dignidad. Aquello que tiene precio puede ser sustituido por algo equivalente; en cambio, lo que se halla por encima de todo precio y, por tanto no admite nada equivalente, eso tiene una dignidad.

Emanuel Kant (1724–1804), filósofo alemán

 Is 43,1

 Salmo 17

Mt 25

y juzga al hombre. La dignidad humana resulta de su relación con Dios, que nos miró con amor y nunca nos perdió de vista: «Te he llamado por tu nombre, tú eres mío» (Is 43,1). No hay duda de que formamos parte de la familia real, somos tabú. Precisamente porque Dios nos guarda como «a las niñas de tus ojos» (Sal 17,8), no debemos clasificar a las personas ni aprovecharnos de ellas. Por eso, y porque los pobres son siempre las primeras víctimas. En el Evangelio de san Mateo leemos una parábola que bien podría llamarse *la parábola de la solidaridad de Dios*. En el capítulo 25, Jesús se acuerda de todos: de los que tienen hambre o sed, son forasteros, están desnudos, enfermos o en la cárcel. Y, en el versículo 20, da con la clave: «En verdad os digo que cada vez que lo hicisteis con uno de estos, mis hermanos más pequeños, conmigo lo hicisteis» (Mt 25,40). ¡Conmigo! Jesús se convierte en uno de los más pobres. Tocando a los pobres lo tocamos a ÉL.

❯ Pregunta 284:
¿Por qué son tan importantes las bienaventuranzas?

El núcleo del Sermón de la montaña no es fácil de comprender, como por cierto no siempre se comprenden bien a la primera las bienaventuranzas. Cuando las escuchamos, resulta que no se alaban los grandes éxitos ni tampoco a ricos, famosos, gente conocida, poderosos ni reyes. En el reino de Dios son *otros* los

bienaventurados: los pobres en el espíritu, los mansos, los que lloran, los que tienen hambre, los perseguidos, y todos aquellos que están a su lado; los que tienen sed de la justicia, los misericordiosos, los limpios de corazón, los que trabajan por la paz. Uno se vuelve humano mediante la compasión. Nos lo solía recordar el papa san Juan Pablo II y nos lo recuerda el papa Francisco. También san Francisco de Asís dio con la esencia de lo cristiano: «Que no haya hermano alguno en el mundo que haya pecado todo cuanto haya podido pecar, que, después que haya visto tus ojos, no se marche jamás sin tu misericordia, si pide misericordia».

Pregunta 89: ¿A quién promete Jesús el «reino de Dios»?

Pregunta 329: ¿Cómo se construye la justicia social en una sociedad?

„„ El hombre está vinculado a todos los seres vivos mediante su origen terrestre, pero solo es hombre mediante el alma que Dios le insufla. Esto lo dota de una dignidad inconfundible, pero también de una responsabilidad única.

Cardenal Christoph Schönborn

¿Qué me libera y qué me encierra?

Aquí vas a descubrir

por qué los vuelos, los aviones y otros medios de
transporte nos transmiten un sentimiento de
libertad. Pero también por qué se habla del sentido
de la libertad y se dice que tomarse todo tipo
de libertades sería precisamente lo contrario
de ser libres.

El cantante alemán **Reinhard Mey** se hizo muy famoso con una canción que decía «La libertad, más allá de las nubes, tiene que ser infinita». La letra trata la historia de alguien que, mirando cómo despega un avión, se pone de repente melancólico y empieza a pensar dónde podría estar esa libertad en la que «todos los miedos, todas las preocupaciones» desaparecen… o por lo menos empequeñecen. Reinhard Mey vivió con intensidad este sueño de tantas personas. En 1972 empezó a sacarse todo tipo de carnés: de avión monomotor y bimotor, de biplano, de helicóptero, de acrobacias aéreas, de vuelos instrumentales; de capitán de barco, de moto, etc. La biografía de Reinhard Mey parece toda una sucesión de momentos de libertad. Ahora bien, Mey no aplicó su libertad solo para lograr nuevas vivencias particulares de libertad, sino que también lo hizo para involucrarse socialmente, y de un modo además muy notable.

Pregunta 286: ¿Qué es la libertad y para qué sirve?

Pregunta 289: ¿Hay que dejar al hombre actuar según su voluntad aunque se decida por el mal?

4.2: ¿Qué debo hacer con mi vida?

¿Qué es la libertad? La libertad, como las ganas de ser libres, es algo profundamente humano. Dios nos creó para que nos gustara ser libres y para que reflexionemos, elijamos y actuemos sin obligaciones. El ser humano en libertad es majestuoso, dignísimo, bello. Libertad significa decidir por nosotros mismos qué hacer, poder crear un pedazo de mundo tal y como nos gusta, no vivir sometidos a otros. Esto es un punto relevante también en la Iglesia. Por mucho que les guste a los padres que sus hijos crean, lo cierto es que se equivocan obligando a sus hijos a tener fe o presionándolos. Dios quiere un sí libre de cada persona. Por ello, un ser humano no es pleno si no actúa por sí mismo o si se le obliga u oprime para que haga algo.

¿Cómo de libre es el ser humano entonces? La primera respuesta es la siguiente: el ser humano es libre para hacer y dejar de hacer lo que quiera, incluso si lo que hace está objetivamente mal. Esto forma parte de su dignidad humana y seguirá siendo así siempre. Da igual que haya ideologías de poder que crean saber mejor lo que es bueno para la gente e intenten una y otra vez recortar libertades (derecho a la libertad religiosa, de opinión, de trabajo, de reunión y de manifestación, etc.). El ser humano será siempre libre. Este canto a la libertad, sin embargo, no pasa por alto

Pregunta 354: ¿Se puede obligar a los hombres a creer en Dios?

> Los diez mandamientos no son una imposición arbitraria de un Señor tirano. … Salvan al hombre de la fuerza destructora del egoísmo, del odio y de la mentira. Señalan todos los falsos dioses que lo esclavizan: el amor a sí mismo que excluye a Dios, el afán de poder y placer que altera el orden de la justicia y degrada nuestra dignidad humana y la de nuestro prójimo.

Papa san Juan Pablo II (1920–2005)

la opción que tiene el ser humano de, precisamente, escoger el mal; es decir, de decantarse por algo que le haga mal a él o a los demás, de tomar la «autopista del infierno». La afirmación del satanista Aleister Crowley de «haz lo que tú quieras, será toda la ley» es solo una aparente proclamación de libertad. El concepto de libertad que implica la destrucción de uno mismo y de los demás, como por ejemplo sucede con el aborto, el suicidio y la eutanasia, es un concepto que se basa en la blasfemia de sustituir a Dios

Pregunta 287: ¿No consiste precisamente la «libertad» en poder decidirse también por el mal?

Pregunta 49: ¿Dirige Dios el mundo y también mi vida?

por uno mismo: *Yo* soy el Señor. *Yo* soy la ley. Pero no es que a nadie a lo largo y ancho del universo no le importe lo que te pasa. También tu libertad puede cobrarse víctimas.

Pregunta 281: ¿Por qué anhelamos la felicidad?

Es verdad que el Dios verdadero concede una libertad ilimitada. Ahora bien, en esta libertad viene instalada en serie una especie de guía o timón que apunta hacia el bien. Yo soy libre por completo, pero la razón de ser de mi libertad es la bondad. El ser humano es libre de decidir libremente si quiere hacer el bien conforme a su libre decisión. Por eso nos sentimos recompensados de forma natural cuando actuamos bien o nos ponemos colorados si nos pillan haciendo algo mal. Podemos diferenciar porque sabemos que el bien proviene del bien. O dicho con otras palabras: sabemos que la razón primigenia de todo, Dios, es el bien. Si Dios es bueno, entonces el bien es bueno, y el mal, evidentemente, malo. Dios quiere que seamos buenos en un mundo que tenga sentido. «Cuando queremos ser algo diferente a aquello que Dios quiere de nosotros, estamos deseando algo que, de hecho, no nos hará felices» (C. S. Lewis).

Pregunta 59: ¿Para qué ha creado Dios al hombre?

Pregunta 340: ¿Cómo se relaciona la gracia de Dios con nuestra libertad?

Reinhard Mey, por cierto, vivió en sus propias carnes los límites de la libertad. Dos de sus instructores de vuelo se estrellaron y perdieron la vida. Y uno de sus hijos murió tras pasar en coma más de cinco años. «Aquello», como dijo Reinhard Mey, «fue algo que agitó profundamente los fundamentos de nuestra familia y puso todo patas arriba de un día para otro». Mey pasó muchas noches junto a la cama de su hijo cantándole canciones y contándole cuentos. ¿Quizás le cantó también su famosa canción sobre la libertad? Es probable que solo podamos hablar del sueño humano de ser libres

con una condición: que la libertad plena
exista precisamente allí donde desaparecen
«todos los miedos, todas las preocupaciones».
Ahí está quien «enjugará toda lágrima de sus ojos,
y ya no habrá muerte, ni duelo, ni llanto ni dolor,
porque lo primero ha desaparecido» (Ap 21,4). Hasta
entonces, vamos a intentar portarnos bien, sin más,
aunque sea agotador.

Ap 21,4

Nuestra fe no la imponemos a nadie.
Este tipo de proselitismo es contrario al
cristianismo. La fe solo puede desarrollarse
en la libertad. Pero a la libertad de los
hombres pedimos que se abra a Dios, que
lo busque, que lo escuche.

Papa Benedicto XVI

¿Qué significa «Santificarás las fiestas»?

Aquí vas a descubrir

alguna de las muy buenas razones para no hacer nada. Dios valora nuestro trabajo, pero este no lo es todo ni es lo más. Hasta Dios descansó al séptimo día y quiso que nuestra semana terminase en una fiesta de la alegría.

as madres saben de qué va: «¿Qué has hecho con mis sábanas del Real Madrid?». «Bueno, eh, ¡si estaban rotas!». Y se desatan la tragedia, el revuelo y las lágrimas porque mamá ha tocado algo sagrado. También son «sagradas» algunas otras cosas muy banales de los adultos: aquella antigua pipa, una colección de vinilos rayados o vete tú a saber el qué. Muchas veces, desde luego, no se trata del valor material en sí que tenga una cosa concreta: aquellas sábanas, la pipa del abuelo, el disco de Bob Dylan... Estas cosas, en realidad, significan algo más, despiertan un apego especial porque son símbolos. Y luego va y se acaba el domingo, otro símbolo, ¡y casi nadie suelta una lagrimita!

Pregunta 187: ¿Cuál es la importancia del domingo?

"" La historia del siglo pasado nos muestra cómo en los Estados donde se suprimió a Dios, no solo se destruyó →

La llamada a «santificar las fiestas» y el domingo no es un consejo de una revista para pasar el tiempo libre, sino que es un mandamiento de Dios. En concreto, el tercero de los diez. Una de las escenas más dramáticas del Antiguo Testamento, quizás la que más, es cuando Moisés recibe de Dios «los diez mandamientos» y con ellos en la mano desciende de nuevo: «Todo el pueblo percibía los truenos y relámpagos, el sonido de la trompeta y la montaña humeante» (Éx 20,18). ¿Por qué se complica Dios así para dar forma a la libertad?

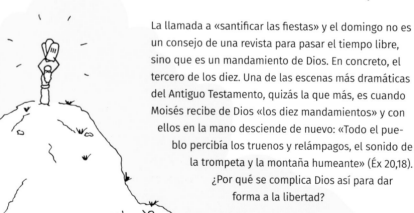

Al comienzo de la Biblia, Dios deja claro para siempre que el trabajo no lo es todo, ni tan siquiera lo más elevado. Ya en el libro del Génesis leemos cómo el creador se tomó un periodo de recreo: «Y bendijo Dios el día séptimo y lo consagró, porque en él descansó de toda la obra que Dios había hecho cuando creó» (Gén 2,3). El pueblo de Israel hacía como Dios: descansaba al séptimo día. En recuerdo de la esclavitud en Egipto, extendió incluso este descanso sagrado a esclavos, bueyes, asnos, emigrantes en sus ciudades (Dt 5,14).

Pregunta 47: ¿Por qué descansó Dios en el séptimo día?

→ la economía, sino que se destruyeron sobre todo las almas.

Papa Benedicto XVI

Para Israel, el *sabbat* era muy importante porque lo fue también para Dios, que es la razón de todo, la condición de la vida, el libertador, el redentor. Nadie debía olvidarlo, si bien en el trajín del día a día cayó en desuso. Dios tuvo entonces que recordarlo con un gran símbolo. La fiesta del *sabbat* exigía una presencia de Dios en cada semana, la hacía palpable, la llenaba de una esperanza infinita. En una exégesis judía del Talmud se dice: «Si Israel guarda el *sabbat* como debe guardarse, el Mesías vendrá. El *sabbat* es igual que todos los demás preceptos de la Torá».

Pregunta 362: ¿Por qué se celebra el sábado en Israel?

Pregunta 363: ¿Cómo trata Jesús el sábado?

Pregunta 364: ¿Por qué los cristianos sustituyeron el sábado por el domingo?

He aquí, sin embargo, el punto en el que se separan Antiguo y Nuevo Testamento, judaísmo y cristianismo, domingo y *sabbat*. Los judíos siguen esperando al Mesías, mientras que los cristianos creen que ya ha venido al reconocer en Jesús de Nazaret a un «cristo», al Mesías. Su gran día no es un día de esperanza y nostalgia, como el sábado judío. Su día es el «octavo día», el día de la Pascua, el domingo, el día en que Cristo resucitó de entre los muertos liberando y redimiendo por fin al mundo del pecado y de la muerte. Así, mientras que el judeocristianismo mantuvo durante un tiempo el *sabbat*, el pagano-cristianismo optó por celebrar el «día del Señor» al día siguiente del *sabbat*. Cada domingo debería ser un reflejo de la fiesta de Pascua, una especie de prolongación de la celebración pascual; debería ser un día para explotar de alegría y que hiciera sombra a todos los demás.

Muchas personas no diferencian hoy en día entre un día lectivo y un domingo. Las grandes maquinarias tienen que seguir produciendo. La sociedad de la tercerización exige asimismo que se dé servicio durante el fin de semana. Las tiendas necesitan que se compre y cada cual hace lo que quiere cuando quiere. El tiempo ya no tiene ninguna estructura y ha desaparecido la diferencia entre día festivo y día laborable. Es más, fiestas las hay cuando lo deciden las grandes superficies. Cualquier cosa se puede hacer cuando se quiera. Ya no hacen falta excusas ni para quedar para una barbacoa. Se podrá pensar que la gente es más feliz con esta nueva flexibilidad, pero la realidad es otra: no paramos de quejarnos de la rutina gris del día a día.

Pregunta 184: ¿Cómo marca la Liturgia el tiempo?

> Sin la eucaristía dominical no podríamos vivir. ¿No sabes que el cristiano existe para la Eucaristía y la Eucaristía para el cristiano?

Respuesta del mártir **Saturnino** (305) en el interrogatorio por la acusación de haber participado en la asamblea dominical, que estaba prohibida.

Pregunta 365: ¿Cómo convierten los cristianos el domingo en el «día del Señor»?

¿Podríamos reinventar el domingo? Yo no creo que sean los sindicatos quienes lo redescubran, sino que más bien tenemos que ser nosotros los que recuperemos las raíces del domingo. El domingo no es un día sagrado ni de culto porque a la gente le venga bien dejar a un lado el destornillador o el teclado después de seis días. Tampoco se trata de una huida del trabajo. El domingo gira en torno a su centro, que es Dios. Debe ser una fiesta con todo lo que le corresponde: esforzándose por la belleza, con mucho tiempo para estar juntos, por el amor y para Dios, con flores, cantos festivos, ropas de gala, ritos de celebración, y con tiempo libre y tranquilidad dentro del hermoso mundo de Dios.

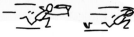

Quizás llegue el día en el que se desaten la tragedia, el revuelo o las lágrimas si se toca el domingo «sagrado», que es la fiesta de los salvados.

¿Qué significa «No dirás falso testimonio ni mentirás»?

Aquí vas a descubrir

algunas cosas sobre chismorreos, Donald Trump, Alicia en el país de las maravillas y un mentiroso juez nazi. Pero también el caso de una chica increíblemente valiente que junto con sus amigos creyó que la verdad era más importante que su propia vida.

4.47: ¿Cómo utilizar las redes sociales de forma correcta?

El presidente de los Estados Unidos tendrá sus cosas buenas. Ahora, cuando hoy en día hablamos del octavo mandamiento, «No dirás falso testimonio ni mentirás», es difícil no pensar en él ni en sus supuestos «hechos alternativos» o lo que él llamó «hipérbole veraz».

Pero estaríamos difundiendo aquí *fake news* si dijésemos que estos conceptos los creó él. Fue en realidad la portavoz de su gobierno, Kellyanne Conway, quien defendió al presidente y dijo que no mentía al afirmar que Trump hablaba de «hechos alternativos». Trump en realidad tampoco es el autor de la «hipérbole veraz», de aquellas hipérboles que no duelen y son «una forma inocente de exageración y una forma muy efectiva de promoción», como dijo en su libro *El arte de la negociación*. El libro, realmente, se lo escribió Tony Schwartz. Dio la cara más o menos compungido y reconoció que Trump no solo no había escrito un libro jamás, sino que tampoco había leído nunca uno de principio a fin. El presidente, dijo, solo se interesa por sí mismo.

Pregunta 452: ¿Qué nos exige el octavo mandamiento?

Pregunta 456: ¿Qué hay que hacer cuando se ha mentido, engañado o estafado?

> Al igual que se sujeta un abrigo a alguien para que se lo ponga, así hay que hacer con la verdad, y no atársela a la cabeza como un paño mojado.

Max Frisch (1911–1991)

Existe desde hace un tiempo ya la tendencia de manejar la verdad «con creatividad». En *Alicia en el país de las maravillas,* de Lewis Carrol, el maravilloso filósofo Zanco Panco (Humpty Dumpty) da en el clavo cuando dice: «Cuando yo uso una palabra quiere decir lo que yo quiero que diga... ni más, ni menos». Alicia, sin embargo, insiste: «La cuestión es si se puede hacer que las palabras signifiquen tantas cosas diferentes». Y entonces zanja el filósofo: «La cuestión es saber quién es el que manda. Eso es todo». En la filosofía clásica, la verdad se define como *adaequatio intellectus et rei,* esto es, la verdad consiste en una «adecuación del intelecto y la cosa». Todos sabemos que es así, que hay que decir las cosas como son, porque si no se está mintiendo. Pero el ser humano es pecador. No hace falta demasiado para que la verdad se convierta en un interesado objeto de trueque. Los niños por ejemplo lo saben bien: «Grita fuerte y te harán caso». La pregunta es, ¿qué pasa entonces con el octavo y el décimo mandamiento?

Pregunta 455: ¿Qué es ser veraz?

Freisler, un juez nazi, sabía bien que los estudiantes del movimiento Rosa Blanca (*Weiße Rose*) estaban diciendo la verdad. Por ello necesitó «hechos alternativos» para neutralizarlos. Como aquellos jóvenes le molestaban al poder, pues el poder creó su verdad. Sophie Scholl, que apenas había cumplido los 22 años, sabía que una mentira podría salvarla, pero no mintió. Lo que les dijo a la cara a aquellos esbirros nazis fue otra cosa: «Todos ustedes estarán pronto aquí donde estamos nosotros ahora». Justo ese mismo día, el 22 de febrero de 1943, fue condenada a muerte y llevada a la guillotina. La cita preferida de Sophie Scholl, que era cristiana, eran unas palabras de Jacques Maritain que pedían «una mente fuerte y un corazón suave». Eso es en efecto lo que nos hace falta. La relación entre verdad y veracidad no se puede negociar ante el horizonte de Dios, porque aquí no se admiten los trucos. Hay que dar testimonio de la verdad, y si hace falta, hasta el martirio. Muchos mártires seguidores de Cristo no cedieron al poder y prefirieron dar su vida antes de servir a la mentira y a la traición. La lista es grande y su historia brilla con luz propia.

Pregunta 454: ¿Hasta qué punto nos obliga la verdad de la fe?

Podría haber sucedido que tras la Segunda Guerra Mundial y sus millones de muertos, la cultura de mentir hubiera desaparecido. Pero no ha sucedido así. Solo cuatro años después, en 1949, George Orwell acertó al referirse a la mentira en su novela *1984*. Parece como si el propio Orwell hubiera sabido ya entonces la que se nos venía encima con lo «políticamente correcto». En su obra, Orwell esboza un Estado totalitario en el que se prohíben o redefinen las palabras; él lo llama «neolengua». La institución central de gobierno se llama «Ministerio del Amor», y en su sótano alberga una cámara de tortura que se conoce como «Habitación 101».

Conoceréis la verdad, y la verdad os hará libres.

Jn 8,32

Y el que piensa, sin más, se convierte en un «crimental». Pero ya sabemos lo que pasa si las palabras se redefinen: cuando al niño en el vientre materno se le llama de repente «cúmulo de células» y del aborto –que está claro lo que es– se hace una «interrupción voluntaria del embarazo», ¡como si después de matar al niño pudiera proseguir el embarazo! Pero lo curioso es que seguimos con neolenguas. Cada vez que escucho la palabra «derechos de las mujeres», a mí me chirrían los oídos. ¿Qué se esconde detrás de estas palabras tan bonitas? Por lo general, un lobby de defensores del aborto. También los «delitos de odio» son un concepto bastante relativo. Hay ciertas cosas que nos les gustan a los sabelotodos de las redes sociales, y que no se pueden decir en Facebook porque si no le desconectan a uno. Pero el «octavo mandamiento» sigue siendo actual para la gente valiente y justa, hoy más que nunca.

Pregunta 453: ¿Qué tiene que ver con Dios nuestra relación con la verdad?

> ¡Qué grandeza de Dios, que puede más a las veces un hombre solo o dos que digan verdad, que muchos juntos!; tornan poco a poco a descubrir el camino, dales Dios ánimo.

Santa Teresa de Ávila (1515–1582)

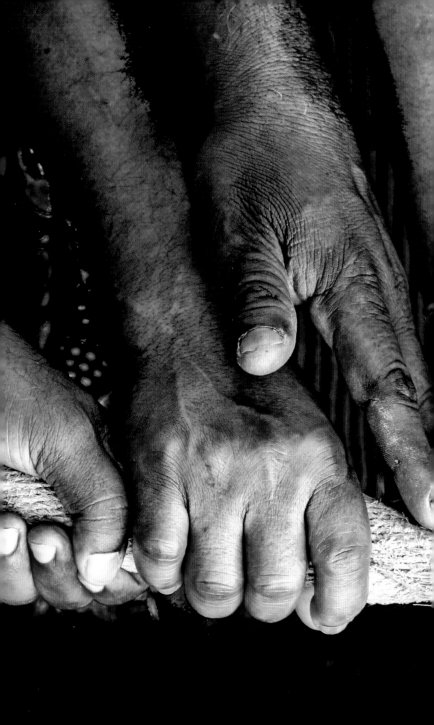

¿Cómo ejercen los cristianos su responsabilidad social?

AQUÍ VAS A DESCUBRIR

que es totalmente imposible considerar el cristianismo como un asunto privado. Un cristiano no es un cristiano. Si no piensas en la felicidad de todos, mejor será que no te remitas al Evangelio.

El nombre de «madre» para la Iglesia es muy antiguo. El famoso teólogo Henri de Lubac dijo en una ocasión: «La Iglesia es mi madre porque me ha dado la vida. Es mi madre porque no cesa de mantenerme y porque... me lleva a profundizar cada vez más en la vida».

DOCTRINA SOCIAL ➡

Lo maternal de la Iglesia está en la DOCTRINA SOCIAL. ¿Qué es en definitiva una buena madre? Alguien que se ocupa a todas horas de sus hijos. La Iglesia, desde luego, no sería Iglesia ni madre si solo propagara doctrinas para listos, si únicamente celebrara Misas bonitas o si se preocupase nada más que de salvar a sus propios hijos. La Iglesia, más bien, debe procurar el desarrollo integral de todo ser humano: que tenga qué comer y agua limpia, formación, trabajo, una vida segura, así como que haya justicia y que los hijos de esta madre no se aniquilen los unos a los otros.

Es verdad que la historia de la Iglesia no siempre fue digna de alabanza. Los apóstoles, por ejemplo, son los primeros que se quedaron dormidos mientras Jesús se moría de miedo en el monte de los Olivos.

 Pregunta 438: ¿Por qué tiene la Iglesia una Doctrina Social propia?

Pregunta 449: ¿Qué importancia tienen los pobres para los cristianos?

Pregunta 427: ¿Por qué no hay un derecho absoluto a la propiedad privada?

Pero hay también otros muchos cristianos que dormían durante las cazas de brujas, los transportes de esclavos, las masacres contra los indígenas en sus entornos naturales, las deportaciones de judíos de sus propias casas, las talas masivas del Amazonas, las construcciones de centrales nucleares, la transformación del aborto en una forma de regular nacimientos, etc. La Doctrina Social podría haberse escrito en muchos lugares antes, desde luego. Pero su origen se remonta al siglo XIX y a la Revolución industrial. También aquí tardó la Iglesia en despertar mientras que había niños picando en minas o trabajadores muriéndose de hambre. Los marxistas se apoderaron de la labor de los cristianos, que se habían quedado dormidos.

Pregunta 439: ¿Cómo se desarrolló la Doctrina Social de la Iglesia?

En efecto, los cristianos tardaron en reaccionar, pero al final lo hicieron. Descubrieron la cuestión social en el Evangelio de san Mateo, de nuevo con aquellas palabras revolucionarias del capítulo 25, donde Jesús y la cuestión social se funden en uno: «Porque tuve hambre y no me disteis de comer, tuve sed y no me disteis de beber, fui forastero y no me hospedasteis, estuve desnudo y no me vestisteis, enfermo y en la cárcel y no me visitasteis. … En verdad os digo: lo que no hicisteis con uno de estos, los más pequeños, tampoco lo hicisteis conmigo» (Mt 25,42-43.45).

Mt 25

Pregunta 465: ¿Qué actitud debe adoptar un cristiano ante la propiedad ajena?

Pregunta 89: ¿A quién promete Jesús el «reino de Dios»?

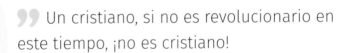

> Un cristiano, si no es revolucionario en este tiempo, ¡no es cristiano!

Papa Francisco en el prólogo de DOCAT

De este pequeño grano de mostaza nació la Doctrina Social. El papa León XIII respondió a la cuestión social con la encíclica, *Rerum novarum,* en la que escribió una durísima frase: «Defraudar a alguien en el salario debido es un gran crimen, que llama a voces las iras vengadoras del cielo». Ya en su época era raro encontrar algo así en un documento papal.

Pregunta 444: ¿Qué dice la Doctrina Social de la Iglesia acerca del trabajo y el desempleo?

Los principios:

PERSONA HUMANA,
SOLIDARIDAD,
SUBSIDIARIDAD,
BIEN COMÚN ➡

Pregunta 323: ¿Cómo puede el individuo estar integrado en la sociedad de manera que pueda, sin embargo, desarrollarse libremente?

¿En qué consiste esencialmente la Doctrina Social? En primer lugar, tiene cuatro principios, que son el principio de persona humana, de solidaridad, de subsidiaridad y de bien común. Pero ¿qué quiere decir esto?

A lo que se refiere el **principio de persona humana** y su doctrina es que «el hombre es necesariamente fundamento, causa y fin de todas las instituciones sociales» (Mater et Magistra 219). Cada persona, con su libertad y su dignidad, está bajo la protección de Dios y, por ello, ocupa un lugar en lo más alto de la creación. Nadie debe convertirse en carne de cañón o ser «utilizado» con otros fines.

El **principio de solidaridad** viene a decir que todos nos tenemos que mojar. Solo de este modo puede surgir un orden social justo que sea capaz de garantizar y de satisfacer las necesidades fundamentales de cada uno. La sociedad, por ello, debe intervenir y ayudar a aquellas personas que por sí solas no puedan satisfacer sus necesidades fundamentales.

El **principio de subsidiaridad** pide que se permita a los núcleos más pequeños asumir aquellas tareas que realmente estén en condición de realizar, y que los más grandes no se las arrebaten. Educar a los hijos es un deber de la familia, de modo que los organismos estatales solo deben intervenir subsidiariamente (=para ayudar) si una familia está desbordada.

El **principio del bien común** dice que la autoridad estatal debe concentrarse en satisfacer el bien común de todos, especialmente de los más débiles, de modo que la sociedad no se convierta en un escenario de intereses individuales o de un único colectivo.

La Doctrina Social, además de estos cuatro principios, se ocupa también de otros temas tales como la justicia, la paz y el desarrollo ecológico sostenible.

> Al intervenir directamente y quitar responsabilidad a la sociedad, el Estado asistencial provoca la pérdida de energías humanas y el aumento exagerado de los aparatos públicos, dominados por lógicas burocráticas más que por la preocupación de servir a los usuarios, con enorme crecimiento de los gastos.

Papa san Juan Pablo II (1920–2005)

Alguien dijo una vez que la Doctrina Social era el «tesoro más ignorado de la Iglesia». Tenía razón. La Iglesia tiene mucha fuerza solo por ser universal y porque ningún poder, nación, grupo o empresa pueden absorberla. Tiene, si cabe, una fuerza para cambiar el mundo.

Pregunta 328: ¿Qué puede aportar el individuo al bien común?

¿Qué es eso de «rezar»?

AQUÍ VAS A DESCUBRIR

que nuestros llantos, nuestras palabras y nuestras canciones llegan al de arriba. Cuando rezamos no acribillamos a preguntas en vano, sino que Dios nos está escuchando. No hace oídos sordos cuando le contamos nuestras penas y glorias.

Pregunta 470: ¿Por qué ora el ser humano?

Pregunta 468: ¿Qué es lo que el hombre debería desear más ardientemente?

Una parte de ser cristiano es rezar, como se oye una y otra vez. Todavía me acuerdo de cuando tenía veinte años. Lo cierto es que intentaba ser cristiano, pero no se puede decir que aquello realmente fuera «rezar». Tengo muy presente el día aquel que intenté rezar en el banco de una iglesia. Me puse de rodillas, encontré la postura y sintiéndome como fuera de mí me puse a observarme. Lo intenté, pero no logré abandonar mis pensamientos ni salir de mí. Menos mal que algo después tuve la suerte de experimentar lo maravilloso que es acariciar otra realidad, o mejor dicho, de ser tocado por ella. A mí me gusta llamar «presencia de Dios» a este gran horizonte de la realidad. Déjame que te lo cuente.

Quizá las experiencias religiosas más profundas de mi vida las haya tenido en Taizé. Quien todavía no haya oído hablar de este pueblecito en la Borgoña francesa, debe saber que allí residen unos monjes muy hospitalarios que acogen a miles de jóvenes cada año durante los meses de verano. Un montón de gente joven se desplaza hasta allí desde toda Europa, e incluso también desde África, América y Asia. En Taizé, se puede decir, la realidad de Dios se palpa con las manos. Ya antes de empezar a rezar te das cuenta. Cuando estás allí te encuentras con mucha gente que acude movida por su anhelo de Dios, y te dices: «¡Vaya, como yo! ¡Si resulta que no soy el único en el mundo que desea esto de todo corazón». San Agustín (354-430) tenía razón cuando se refirió a la oración con estas palabras: «Grande eres, Señor, y muy digno de alabanza. ... Con todo, quiere alabarte el hombre, pequeña parte de tu creación. Tú mismo le excitas a ello, haciendo que se deleite en alabarte, porque nos has hecho para ti y nuestro corazón está inquieto hasta que descanse en ti».

> 🙶 No es otra cosa oración mental, a mi parecer, sino tratar de amistad, estando muchas veces tratando a solas con quien sabemos nos ama.

Santa Teresa de Ávila (1515–1582)

Nada es perfecto en Taizé. Tres veces al día suenan las campanas y manadas de gente irrumpen por todas partes. Uno duerme en tiendas de campaña o en humildes barracones; hasta la iglesia es como una gran «tienda de campaña» que se puede ampliar o reducir según las necesidades. Ya antes de entrar a la iglesia te encuentras con muchos jóvenes voluntarios. De sus cuellos cuelgan unos carteles en los que solo se lee una misma palabra en diferentes lenguas: Stille, Stilte, Silence, Silenzio, Silencio. Esta es la primera norma fundamental para rezar. No se puede rezar si no hay silencio. Todas las fuentes de ruido deben estar apagadas, hemos de tranquilizar nuestro interior y dedicar tiempo para que, en el silencio, pueda suceder algo. Y entonces entras en la iglesia de Taizé, que es muy particular porque no tiene bancos sino solo una moqueta.

Pregunta 469: ¿Qué es la oración?

Pregunta 503: ¿Qué es la oración de contemplación?

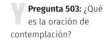
3.7: ¿De dónde saco tiempo para rezar?

 Orar no es oírse hablar a uno mismo; orar es quedarse en silencio y esperar hasta que el orante oiga a Dios.

Søren Kierkegaard (1813–1855)

 Cuando estás dentro te envuelve de repente una atmósfera de luz y de silencio. Luego te sientas en el suelo, ves cómo los monjes se acercan y, sin decir nada, se ponen en el centro de la nave para esperar a Dios. A continuación se entona un sencillo cántico: *Veni, Sancte Spiritus* («Ven, Espíritu Santo»), que se escucha una y otra vez. A cada repetición, la oración va calando profundamente en el alma. Vuelve a reinar el silencio, que solo la Palabra de Dios interrumpe. Esta gotea poco a poco en alma, como una gota de agua valiosa que cae sobre una superficie en calma formando surcos. Vuelve el silencio. Y palpas la presencia de Dios. Yo creo que cuando salí de aquella iglesia podría haber dado saltos de alegría proclamando: «¡Uf, he rezado de verdad!». Se puede rezar. Es posible y no hay que hacer casi nada. Ya se encarga Dios, que está ahí.

Taizé me ha regalado también otras muchas cosas. En una ocasión me senté con un grupo de gente a la que no había visto nunca. Primero tuvimos que ponernos de acuerdo en qué lengua hablar, pero en seguida empezamos a leer la Sagrada Escritura. Estuvimos hablando entre nosotros e intercambiando opiniones, ¡qué regalo tan valioso! Y luego nos pusimos a rezar. Libremente. Según nos lo pedía el corazón. También entonces tuve esa sensación de «¡uf!». Nos parecíamos casi a aquella comunidad de los primeros cristianos, «el grupo de los creyentes tenía un solo corazón y una sola alma» (Hch 4,32).

Pregunta 482: ¿Qué importancia tenía la oración entre los primeros cristianos?

 Hch 4,32

 " Rezar significa pensar en Dios queriéndolo. La oración llama la atención del alma que se concentra en Jesús. Cuanto más se ama, mejor se reza.

Beato Charles de Foucauld (1858–1916)

Hoy no me puedo imaginar un día sin oración. Una y otra vez busco la inspiración en las Sagradas Escrituras o releyendo mis notas personales. Es algo que me ayuda a ponerme en marcha. En mi cuaderno anoté una vez al comienzo esta cita de santa Teresita del Niño Jesús: «Para mí, la oración es un estímulo del corazón, una simple mirada dirigida al cielo, un grito de agradecimiento y de amor, tanto en medio de la tribulación como en medio de la alegría». Estas palabras me ayudan a ponerme en marcha si me encuentro algo bajo o mustio. ¡Arriba los corazones! ¡Miremos sencillamente para arriba!

Pregunta 491: ¿Se puede aprender a orar a partir de la Biblia?

Pregunta 497: ¿Por qué nos ayuda dejarnos guiar por los santos en la oración?

UNIDAD
23
CURSO DE FE

¿Cómo se aprende a rezar?

Aquí vas a descubrir

la noticia tranquilizadora de que para acercarnos a
Dios solo nos hace falta una esperanza alucinante.
Lo que ÉL quiere es confianza, cercanía, amor,
una relación...

¿Cómo se aprende a bailar tango? Pues ensayando los pasos correspondientes con un bailarín de tango con experiencia. ¿Y cómo se aprende a conducir? Pues fiándose de un buen profesor de autoescuela, y quizás practicando a hurtadillas en una explanada vacía. ¿Y cómo se aprende a rezar? Algunos hablan de un camino autodidacta y otros se remiten al antiguo refrán: «Si quieres aprender a orar, entra en la mar». Tiene algo de eso. Una persona que pasó gran parte de la Segunda Guerra Mundial en los refugios antiaéreos me dijo una vez: «Créeme. Allí no había nadie que no se hubiera puesto a rezar». Pero parece que la lección se olvida pronto. Después de la guerra, por lo menos en Alemania, vino la recuperación, el milagro económico, y muchos de los que se salvaron se olvidaron de cómo se habían arrodillado ante Dios todopoderoso para pedirle ayuda. Parece que hasta se olvidó aquel rezo en un caso de extrema necesidad cuando se dice: «Bueno, quizás fue solo una 'casualidad' que las bombas cayeran sobre la casa de al lado y no sobre nosotros».

Pregunta 486: ¿Por qué debemos pedir a Dios?

Cuando aprendemos algo de forma autodidacta solemos adquirir malas costumbres. A Dios, por ejemplo, podríamos confundirlo con un botón de emergencias, algo así como un «rómpase el cristal en caso de extrema necesidad». Es decir, podríamos reducir la relación con Dios a una sala de urgencias de un hospital, y acabar diciendo de la oración algo así como «es bueno que haya estas cosas, pero si no hay que recurrir a ellas, pues mejor». ¿De verdad que es mejor salir adelante en la vida sin Dios? Si pulsamos el botón de *zoom* y ampliamos la imagen, nos damos cuenta de los errores. La Madre Teresa no dejó de recordar a sus hermanas que Dios solo quería de nosotros su amor: «Ya no es que te

ame, es más, Él tiene sed de ti. Te echa de menos cuando no te acercas a Él. Te ama siempre, incluso cuando no te sientes digno. Cuando a veces no eres aceptado por otros o incluso por ti mismo. Él siempre te acepta».

Lo que Dios quiere, y es para lo que creó la oración, es una relación contigo. Busca una relación de amistad, que os llaméis, que estéis el uno para el otro. Quiere que el intercambio sea íntimo y que os fieis el uno del otro aunque cueste. En resumen, vivir en la oración no significa otra cosa que estar en una relación con Dios, tener algo con Él. Vamos, que ser cristiano es como cuando en Facebook pones en «Situación sentimental» que tienes «en relación». Bueno, también los hay que escriben al respecto «es complicado». En efecto lo es, ¡es casi imposible ser cristiano y solo cumplir un par de compromisos! Pero ¿cómo puede sobrevivir una relación si falta el tiempo para cuidarla? Esto es ¿si falta el tiempo para la oración?

Pregunta 494: ¿Cómo puede mi vida cotidiana ser una escuela de oración?

Pregunta 510: ¿Es posible orar siempre?

Pregunta 499: ¿Cuándo se debe rezar?

> 99 Es necesario acordarse
> de Dios con más frecuencia
> de la que se respira.
>
> **Gregorio Nacianceno** (aprox. 329–390)

La respuesta a la pregunta 499 de YOUCAT dice: «Quien no reza con regularidad pronto ya no rezará nunca». Y en las Sagradas Escrituras, hasta san Pablo lo recomienda: «Sed constantes en orar» (1 Tes 5,17). Desde luego que no se trata de estar todo el día de la mañana a la noche rezando y pidiendo. Y sí, también podemos encomendarnos a Dios en un caso de necesidad. Ahora bien, hay una forma de rezar mucho más esencial: «Dad gracias en toda ocasión: esta es la voluntad de Dios en Cristo Jesús respecto de vosotros» (1 Tes 5,18).

1 Tes 5,17–18

Pregunta 488: ¿Por qué debemos dar gracias a Dios?

Lo importante, por tanto, no es que nos arrodillemos ante Dios y le pidamos ayuda solo en situaciones de peligro, cuando tenemos un examen o si en el trabajo

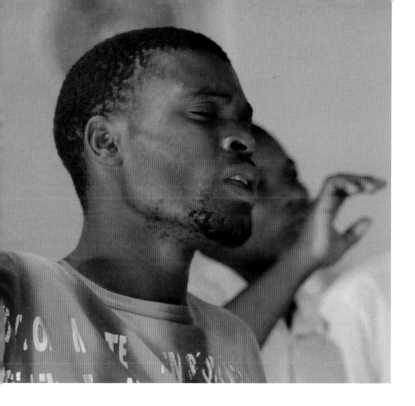

la hemos pifiado. En realidad, lo que hace falta es encontrar una postura constante de agradecimiento. No debe obviarse este agradecimiento en ningún momento. Y sí, en parte también se puede aprender de manera autodidacta, por ejemplo caminando por el mundo con los ojos bien abiertos y admirando la hermosa naturaleza, que es obra del Señor. Así lo escuchamos en los Salmos: «¡Señor, Dios nuestro, qué admirable es tu nombre en toda la tierra! ... Cuando contemplo el cielo, obra de tus dedos, la luna y las estrellas que has creado. ¿Qué es el hombre para que te acuerdes de él, el ser humano, para mirar por él? Lo hiciste poco inferior a los ángeles, lo coronaste de gloria y dignidad; le diste el mando sobre las obras de tus manos. Todo lo sometiste bajo sus pies. Rebaños de ovejas y toros, y hasta las bestias del campo, las aves del cielo, los peces del mar que trazan sendas por el mar. ¡Señor, Dios nuestro, que admirable es tu nombre en toda la tierra!» (Sal 8, 1.4-10).

Pregunta 473: ¿Qué importancia tienen los salmos para nuestra oración?

Salmo 8

3.8: ¿Cómo puedo orar con un texto de la Biblia?

¿Qué es la adoración?

Aquí vas a descubrir

por qué el ser humano no debe arrodillarse ante
nadie más que ante el Dios vivo. Pero una vez que te
lo encuentras, no solo te tienes que arrodillar con los
pensamientos, sino también con el cuerpo.

> ❝ El hombre no puede subsistir
> sin adorar algo.
>
> **Fiódor Dostoievski** (1821–1881)

Pregunta 293: ¿Para qué nos ha dado Dios las pasiones?

Pregunta 299: ¿Qué se entiende por «virtud»?

¿Qué tienen en común la Madre Teresa y Miley Cyrus? La mayoría creerá que no demasiado. No hay duda de que Miley es más guapa, pero que la Madre Teresa hizo más por los pobres. ¿Dónde está entonces su parecido? Pues en que ambas son pasionales y en que comparten algo que concierne a la adoración. La Madre Teresa, allá adonde fue, nunca dejó de pedir que se adorara: «Si verdaderamente quieres crecer en el amor, vuelve a la adoración». Y también Miley tiene una canción sobre el mismo tema: «*I adore you*». La adoración es, desde luego, una palabra pasional. Tiene algo de sumisión incondicional y sin pensar. Ahora bien, Miley tiene que salvaguardar su imagen salvaje, necesita la provocación. En una ocasión se puso a fumar un porro en un concierto o a cantar esta canción, en la que dice: «*When you say you love me / Know I love you more / And when you say you need me / Know I need you more / Boy, I adore you / I adore you»*. ¿Lo dirá en serio? Quien se somete a otra persona parece estar demostrando un amor infinito, pero a la vez se está empequeñeciendo también al decir: «Puedes hacer conmigo lo que quieras». El «adorador» entrega por lo tanto toda su dignidad y toda su voluntad. Desde un punto de vista pragmático, al entregarse cuenta con la posibilidad de que el objeto al que adora, algún día, termine dándole una patada y quitándoselo de encima como si fuera basura. Así funciona por cierto el negocio de la fama en Estados Unidos, donde cada día hay ejemplos de este tipo: adoración durante tres meses, luego una separación por WhatsApp a la que siguen lágrimas, dramas y el fin del mundo, pero en seguida llega el nuevo amor. Eso sí, en el caso de la Madre Teresa y de sus hermanas podemos estar seguros de que su adoración no iba dirigida a un bellezón musculitos. Cuando la Madre Teresa decía «te adoro» se refería a Dios. Siempre.

La pregunta es: ¿hay que someterse por completo? ¿Debemos humillarnos así? ¿Está permitido que unos se empequeñezcan y otros se engrandezcan? ¿Podemos arrojarnos ante los pies de alguien, incluso si este es «como dios»? La respuesta es negativa: no te debes arrodillar ante nada ni nadie. No hay nada en el mundo que merezca ser adorado. Solo te debes someter al Dios verdadero. Los que se someten y adoran a alguien o algo que no es Dios son «idólatras», así los llamamos. Pero la cosa va aún más allá. No es que te debas someter al Dios verdadero, sino que, en cuanto lo conozcas, lo acabarás haciendo sí o sí. Cuando conoces a Dios se corrobora aquello de que Dios lo es todo y tú no eres nada. Así lo pregunta san Pablo: «¿Tienes algo que no hayas recibido?» (1 Cor 4,7). El padre Hans Buob

> La oración es la conversación familiar del alma con Dios; la oración no encierra otra cosa; no es ni meditación propiamente dicha, ni oraciones vocales; pero se acompaña, en un mayor o menor grado, de la una y de las otras.

Beato Charles de Foucauld (1858–1916)

Pregunta 485: ¿Por qué debemos adorar a Dios?

1 Cor 4,7

Pregunta 355: ¿Qué significa «no habrá para ti otros dioses delante de mí»?

dijo en una ocasión que «de nosotros solo tenemos el pecado», mientras que todo lo demás lo tenemos de Dios. Someterse al Dios verdadero, por lo tanto, es el acto fundamental de la fe cristiana. Y la adoración es la mejor oración para ello. Pero ha de ser una oración que no caiga en manos de «supuestos dioses».

> **Donde se proclama la grandeza de Dios, el hombre no queda empequeñecido: allí también el hombre queda engrandecido y el mundo resulta luminoso.**
>
> **Papa Benedicto XVI,** 11 de septiembre de 2006

Pregunta 493: ¿Cuáles son los rasgos de la oración cristiana?

¿Cómo sabía la Madre Teresa que estaba adorando al Dios verdadero? Hay desde luego muchas religiones en el mundo con dioses que yo no quisiera ni regalados. Un dios que no es bueno con todos, que prefiere a ciertos pueblos mientras que a otros los desprecia es, para mí, una caricatura de dios. No merece la pena fijarse en ellos ni tan siquiera un minuto. La Madre Teresa se arrodilló ante un dios que, por mucho que cueste creerlo, se había hecho hombre en Jesucristo: «El cual, siendo de condición divina, no retuvo ávidamente el ser igual a Dios; al contrario, se despojó de sí mismo tomando la condición de esclavo, hecho semejante a los hombres. Y así, reconocido como hombre por su presencia, se humilló a sí mismo, hecho obediente hasta la muerte, y una muerte de cruz» (Flp 2,6-8). Vamos, que no se convirtió en un dominante gobernador del mundo, sino en un adorable y humilde siervo para el mundo.

Pregunta 496: ¿Para qué necesitamos cuando rezamos al Espíritu Santo?

Flp 2,6–8

Santa Teresa de Calcuta, además, descubrió el sentido de ese pequeño trozo de pan resguardado en la custodia, que es el cuerpo de Cristo que se nos da que lo veamos, para que lo comamos y para que esté presente muy cerca de nosotros. «Yo soy el pan de vida. El que viene a mí no tendrá hambre, y el que cree en mí no tendrá sed jamás» (Jn 6,35). Esto es algo que alegraba enormemente

Jn 6,35

Te adoro con devoción, Dios escondido, oculto verdaderamente bajo estas apariencias. A ti se somete mi corazón por completo, y se rinde totalmente al contemplarte.

Santo Tomás de Aquino (1225-1274), himno *Adoro te devote*

a la Madre Teresa: «Está ahí en persona y te espera». Desde este momento decidió que donde mejor podría pasar su tiempo era ante Dios, notando cómo irradia la presencia de Dios, cómo se recibe de verdad durante la adoración. «Cuando comenzamos a tener la adoración diaria, nuestro amor a Cristo se volvió más íntimo, nuestro amor mutuo, más comprensivo; nuestro amor a los pobres, más misericordioso; y el número de las vocaciones se ha duplicado. Dios nos ha bendecido con muchas vocaciones maravillosas. El tiempo que dedicamos a nuestra audiencia diaria con Dios es la parte más valiosa de todo el día».

Pregunta 218: ¿Cómo debemos venerar correctamente al Señor presente en la Eucaristía?

3.14: ¿Cómo debo comportarme durante la adoración?

¿Cómo nos enseña Jesús a rezar?

AQUÍ VAS A DESCUBRIR

que nuestra oración humana hay que aprenderla en
la escuela de Jesús. Rezar el Padrenuestro significa
subirnos a las palabras de Jesús; es como ir agarrados
de sus pies por un camino infalible hacia el corazón
de todas las cosas.

Pregunta 473: ¿Qué importancia tienen los salmos para nuestra oración?

¡Abba! Padre

Rezar es algo que se tiene que aprender. Lo sabían hasta los discípulos de Jesús. En el judaísmo se rezaba mucho, e incluso con gran intensidad y belleza. Lo demuestran los Salmos, que son textos de gran fuerza y que, incluso a día de hoy, los siguen recitando millones de personas por todo el mundo cada día. A los discípulos de Jesús, sin embargo, no les bastó la formación que en su infancia habían recibido en la sinagoga, en las casas de sus padres o con un rabino. Jesús se convirtió de repente en su especialista en asuntos divinos y en el número uno de la oración. Y no solo se fijaron cómo se apartaba de vez en cuando y se retiraba en soledad para rezar. También notaron que Jesús estaba permanentemente «en una relación» y que en el fondo de su vida interior había una especie de conexión directa con Dios. Según cuentan los evangelistas, los discípulos arrancaron más de una vez a Jesús de su oración, y al hacerlo llegaron a escuchar algunas palabras sueltas de aquellos diálogos con el Padre. Así lo cuenta san Lucas en la escena del Monte de los Olivos: «Padre, si quieres, aparta de mí este cáliz; pero que no se haga mi voluntad, sino la tuya» (Lc 22,42).

Pregunta 475: ¿Cómo oraba Jesús?

Pregunta 476: ¿Cómo oró Jesús ante la muerte?

Lc 22,42

> **Dios nunca cesa de ser Padre de sus hijos.**
>
> **San Antonio de Padua** (1193–1231)

Pregunta 477: ¿Qué significa aprender de Jesús cómo orar?

 Lc 22,43

En momentos como este, los discípulos tuvieron que notar seguro el intenso vínculo de Jesús con el cielo. Su señor y maestro se las estaba viendo con Dios: «En medio de su angustia, oraba con más intensidad. Y le entró un sudor que caía hasta el suelo como si fueran gotas espesas de sangre» (Lc 22,43). En otra ocasión, cuando Jesús había terminado su oración, uno de sus discípulos se le acercó y le dijo: «Señor, enséñanos a orar, como Juan enseñó a sus discípulos» (Lc 11,1).

 Lc 11,1

¿Qué trucos y secretos tenía Jesús? ¿Cómo funcionaba aquello de la oración? ¿Cuántas veces al día había que rezar? ¿Había que adentrarse en el desierto o que tirarse al suelo para orar, o quizás alzar las manos al cielo? ¿En qué quedamos? Pues bien, Jesús se marchó debiéndoles una respuesta... o por lo menos la Biblia no la ha recogido. En su lugar, sin embargo, sí que dio a sus discípulos –y por lo tanto a nosotros también– una oración modelo. Todos la conocemos: es el Padrenuestro. Podemos estar seguros de que rezar este Padrenuestro significa subirnos a las palabras de Jesús; es como ir agarrados de sus pies por un camino infalible hacia el corazón de todas las cosas.

Pregunta 474: ¿Cómo aprendió Jesús a orar?

Porque ¿adónde nos lleva en realidad el Padrenuestro? La primera palabra lo dice: a nuestro padre. Nosotros hoy en día no pensamos ya en otra cosa, pero para los oídos judíos, estas palabras sonaron seguro muy diferentes. Dios era el nombre santo, impronunciable e inalcanzable. Pero Jesús lo dejó bien claro: a este Dios solemne se le puede también hablar, y además con una palabra básica de la humanidad, que es llamándolo «padre». No me cabe duda de que a los discípulos les llamara la atención que Jesús dijera a Dios «padre». ¿Era solo porque su Señor tenía una relación de padre-hijo con Dios?

Pregunta 514: ¿Qué posición ocupa el Padrenuestro entre las demás oraciones?

Pregunta 515: ¿De dónde sacamos la confianza de llamar Padre a Dios?

Lc 15,11–32

En realidad, no. Jesús animó a *todos* para que llamaran a Dios «padre». Democratizó, por así decirlo, la forma de dirigirse a Él, ¡lo nunca visto! Jesús quiso acercar el orante a Dios como nunca antes. Seguro que causó un terremoto religioso que «el de arriba» fuera como el padre misericordioso de la parábola del hijo pródigo (Lc 15,11-32). El Padrenuestro revolucionó la relación del hombre con Dios. Aquel Dios lejano del Antiguo Testamento se convirtió de repente en un Dios al que podemos tutear y al que podemos acudir siempre. Ya sea después de una catástrofe o de un descalabro en nuestras vidas, nos lo encontraremos siempre ahí con los brazos abiertos. El cordero está listo: que empiece la fiesta.

> Señor Jesús, enséñanos a ser generosos, a servirte como tú mereces, a dar sin medida, a combatir sin temor a las heridas, a trabajar sin descanso sin esperar otra recompensa que saber que hemos cumplido tu santa voluntad.

San Ignacio de Loyola (1491–1556)

1 Sam 3,9

Dt 6,4

Después de llamar «padre» a Dios, la oración pasa a otro tema, que también regula: «Hágase tu voluntad». Dios apela de este modo a la experiencia del pueblo de Israel, que sabía que Dios habla, y que podemos oír su llamada y seguirle con una confianza infinita. Así actuaron Abrahán, Isaac, Jacobo o los profetas. «Habla Señor, que tu siervo escucha» (1 Sam 3,9). El pueblo de Israel, aún hoy, repite la fórmula: «Escucha, Israel: El Señor es nuestro Dios, el Señor es uno solo» (Dt 6,4). La pregunta es, ¿qué voluntad ha de cumplirse? Rezar el Padrenuestro es un ejercicio constante en el arte de renunciar a nuestros asuntos y de asumir con pasión los asuntos de Dios. Charles de Foucauld, uno de los más importantes maestros para la Iglesia

del siglo XX, se metió de lleno en el Padrenuestro y nunca más se alejó de él en sus oraciones: «Padre mío, me abandono a Ti. Haz de mí lo que quieras. Lo que hagas de mí te lo agradezco, estoy dispuesto a todo, lo acepto todo. Con tal que Tu voluntad se haga en mí y en todas tus criaturas, no deseo nada más, Dios mío. Pongo mi vida en Tus manos. Te la doy, Dios mío, con todo el amor de mi corazón, porque te amo, y porque para mí amarte es darme, entregarme en Tus manos sin medida, con infinita confianza, porque Tú eres mi Padre».

Pregunta 521: ¿Qué quiere decir «hágase Tu voluntad en la tierra como en el cielo»?

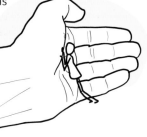

¿Cómo le decimos a Dios que sí?

Aquí vas a descubrir

la diferencia entre un cristianismo de palabras huecas y
un cristianismo del compromiso. Te puede costar tu carrera,
tus amigos, tu buena fama. Pero ganarás la vida.
De un encuentro fugaz con Dios nace una gran historia.

Pregunta 165: ¿Por qué decimos «Amén» al confesar nuestra fe?

Hay mucha gente que se altera porque en la Iglesia siempre hay que estar diciendo que sí a cosas sobre las que nunca se reflexiona. Uno pregunta: «¿Crees en Dios?, ¿Quién puede decirlo exactamente?». Y otro contesta: «Eh, quizás en los buenos momentos o cuando estoy hecho una piltrafa». Y si te dicen: «¿Oye, tú le dices que no al demonio?». Entonces contestas: «¡Uf!». También surge alguna vez esta otra pregunta: «¿Estáis dispuestos a educar en la fe a los hijos que Dios os regale?». ¡Vaya! En efecto, muchas veces se dice muy rápido que sí, que amén. En realidad, nadie quiere ser un aguafiestas. Es más, hasta el cura a veces evita entrar en detalles.

Pero Jesús actuó de otra forma. El capítulo 6 del Evangelio de san Juan tiene su aquel, es muy duro. Aquí, de repente, un simple carpintero de Nazaret se planta y dice: «Yo soy el pan de vida. El que viene a mí no tendrá hambre, y el que cree en mí no tendrá sed jamás» (Jn 6,35). Esto no solo altera a los fariseos, sino que también sus amigos se quedan sin saber qué pensar, y dicen: «Este modo de

Jn 6,35

Jn 6,60

hablar es duro, ¿quién puede hacerle caso?» (Jn 6,60). Los hubo que se echaron atrás desilusionados, pero otros se quedaron. A los que no se fueron les preguntó Jesús si se querían marchar también, pero Simón Pedro le contestó: «Señor, ¿a quién vamos a acudir? Tú tienes palabras de vida eterna (Jn 6,68).

 Jn 6,68

San Pedro habló seguro por el corazón de muchos de los que estaban ahí. Su respuesta, quizás, habría sido «amén», una palabra que solo en el Nuevo Testamento aparece 152 veces. Se trata de una fórmula para corroborar, y Jesús se sirve de ella cuando quiere decir algo muy importante. En español, a veces, se traduce incluso por la expresión «en verdad»: «En verdad, en verdad os digo: Quien guarda mi palabra no verá la muerte para siempre» (Jn 8,51). Decir «amén» significa algo así como: *okay*, exacto, perfecto, chachi, estoy contigo. Desde los tiempos de Jesús, el uso de la palabra «amén» no ha dejado de crecer. De hecho, prácticamente no hay oración que no termine con «amén». Pero ¿cuántas veces se dice auténticamente de corazón y no se repite solo sin pensar? Tenemos todo el derecho de reconvertir esta fórmula –a veces hueca– en un acto de entrega: «Sí, Señor, creo en ti. Amén». Sí, Señor, tú eres la Palabra de la vida eterna. Amén.

Pregunta 527: ¿Por qué terminamos el Padrenuestro con un «amén»?

Pregunta 24: ¿Qué tiene que ver mi fe con la Iglesia?

Puede pasar que Jesús pida que se le escuche y que se le siga. Pero un cristiano católico no solo escucha a Jesús, sino que también escucha a la Iglesia. La Iglesia le acerca a Jesús mediante la Palabra y los sacramentos. El propio Jesús transmitió su autoridad a la Iglesia para que enseñara y proclamara el Espíritu Santo en su nombre, y exigiera ese «amén». De ahí que Jesús dijera a sus apóstoles: «Quien a vosotros escucha, a mí me escucha;

 Lc 10,16

quien a vosotros rechaza, a mí me rechaza; y quien me rechaza a mí, rechaza al que me ha enviado» (Lc 10,16). En el cantoral hay muchos versos que recuerdan que Dios habla por su Iglesia, y dan teológicamente en el clavo, porque esa es la realidad. No se están tomando en serio a Jesús los «cristianos» que dicen: «Yo escucho a Jesús, pero la Iglesia y sus sermones me dan igual».

4.17: ¿Cómo llegar a ser santo?

La Iglesia, desde luego, no vive de una obediencia rígida, sino de un acuerdo muy íntimo con Dios. Es lo mismo que acordó aquella chica que, llena de asombro, dijo con su *fiat* «hágase en mí según tu palabra». Este famoso «*fiat*» de María no tiene nada que ver con la marca italiana de coches. Es la historia de aquella joven de Nazaret de 15 o de 16 años a la que visitó un ángel y le encargó lo imposible. Aquella

Pregunta 84: ¿Fue María únicamente un instrumento de Dios?

muchacha sería la madre de un niño divino, y encima sin la intervención de ningún hombre. Cuando hablamos de María recordamos el hecho de que Dios quiso venir al mundo, pero que aquello solo pudo ser porque una joven lo aprobó. Dijo «*fiat*», que en latín significa «hágase», y de su amén surgió la entrega. Ella hizo posible con su entrega que luego, más tarde, Jesús se entregara en la cruz. Ambos dijeron: «Sí».

> Los mártires de la Iglesia primitiva murieron por su fe en el Dios que se había revelado en Jesucristo, y precisamente así murieron también por la libertad de conciencia y por la libertad de profesar la propia fe, una profesión que ningún Estado puede imponer, sino que solo puede hacerse propia con la gracia de Dios, en libertad de conciencia.

Papa Benedicto XVI

💬 Vive de tal modo que mañana puedas morir como un mártir.

Beato Charles de Foucauld (1858–1916)

María es casi como un personaje de un juego de rol sobre la fe. Cede a Dios un espacio dentro de sí y lo da a luz. En su vientre, Dios encarna a Dios, es Dios verdadero del Dios verdadero. Lo confirma la propia María cuando dice: «El Poderoso ha hecho obras grandes en mí» (Lc 1, 49). María es la primera testigo de Jesús, y desde entonces, todos los cristianos somos testigos de Jesús. La palabra griega para testigo, por cierto, es *mártys*, de ahí que el que atestigua sea llamado también «mártir». El mártir es quien en caso de necesidad muere por Jesús y por la verdad del Evangelio.

Pregunta 82: ¿No es escandaloso llamar a María «Madre» de Dios?

El autodenominado Estado Islámico publicó en febrero de 2015 un vídeo propagandístico. En él se ve cómo los esbirros del Daesh llevan a un grupo de cristianos a las playas de Libia para cortarles el cuello delante de las cámaras. Con el vídeo pretendían difundir «un mensaje escrito en sangre a la nación de la cruz». Pero en el vídeo se escuchan claramente tres palabras: *ya rabb yasu`*, en árabe «¡Oh Señor Jesús!».

Pregunta 454: ¿Hasta qué punto nos obliga la verdad de la fe?

Del Curso de fe a la Guía de estudio YOUCAT

Acabas de descubrir

temas de fe esenciales. En diversas ocasiones encontraste al margen la invitación para leer **preguntas del catecismo** YOUCAT y, así, poder conocer aún mejor la fe de la Iglesia católica. Si se da el caso de que tienes un grupo o un círculo de amigos, y de que juntos queréis seguir conociendo la dicha de la fe, ¿por qué no organizáis **charlas de fe** regularmente?

Así puedes

organizar fácilmente charlas de fe, ¡es muy sencillo! Con este fin ha nacido la **Guía de estudio YOUCAT,** que se puede descargar desde Internet. Esta guía consta de 26 apartados, ya que en cada apartado trata cada uno de los temas del *Curso de fe*. La estructura de la *Guía de estudio* es siempre la misma.

Cinco elementos

- Oración
- Biblia
- Pregunta YOUCAT
- Preguntas para debatir
- *Challenge* (= un desafío)

Cinco ventajas

- No hace falta ningún tipo de preparación
- No necesitas más materiales
- Son modelos ya probados para el trabajo en grupo
- Deja espacio para la iniciativa personal
- Da buenas ideas para conversar sobre la fe

El curso de fe le abre al que lo dirige un horizonte de conversación. Pero también puede suceder al revés, de modo que sean los participantes del grupo quienes lo lean para profundizar.

El objetivo de todo esto es

conseguir convencernos de aquello que fortalece nuestra identidad como cristianos católicos, y que seguro nos llevará a difundir la fe.

1 ¿Qué sabemos de Dios?

ORA

¡Mi Señor y mi Dios!
Sé tan poco de ti. A veces pienso que estás lejos de mí. Ven
a mí, a mi corazón y a mi mente, para ganar confianza y
saber más de ti.
Amén.

MEDITA

Se lee el pasaje de la Biblia en voz alta.
Breve silencio.

Compartir: ¿Qué fue lo que más te llamó la atención?

Rom 1, 20

ya que sus atributos invisibles –su poder eterno y su divinidad– se
hacen visibles a los ojos de la inteligencia, desde la creación del mundo,
por medio de sus obras. Por lo tanto, aquellos no tienen ninguna excusa.

ESTUDIA

1. Lee el texto de YOUCAT frase por frase. Una persona
entonces lee todo el texto seguido en voz alta.

2. Tres minutos de silencio.

3. Cada uno lee en voz alta una palabra o frase que le toca
– sin hacer comentarios.

4. Explica brevemente en la siguiente ronda por qué has
elegido la frase (por ejemplo, recuerdos, preguntas,...).

¿Podemos reconocer la existencia de Dios con nuestra razón?

Sí. La razón humana puede conocer a Dios con certeza. [31-36, 44-47]

El mundo no puede tener su origen y su meta en sí mismo. En todo lo
que existe hay más de lo que se ve. El orden, la belleza, la evolución del
mundo señalan más allá de sí mismas, en dirección a Dios. Todo hombre
está abierto a la Verdad, al Bien y a la Belleza. Oye dentro de sí la voz de
la conciencia, que le impulsa hacia el Bien y le alerta ante el Mal. Quien
sigue esta pista razonable mente encuentra a Dios.

DEBATE

¡Habla sobre tus propias preguntas sobre este tema!

Libro del tesoro: Tómate cinco minutos para escribir lo que
no quieres olvidar.

1. ¿Alguna vez has sentido que Dios existe?

2. ¿Cómo puedes saber si una persona está abierta a lo verdadero, a lo
bueno y a lo bello?

3. ¿Cómo puedes reconocer a Dios con tu razón?

4. ¿Estás de acuerdo con la frase "Nada surge de la nada"?

CHALLENGE

Nuestros DESAFÍOS son sólo sugerencias. Se pueden sustituir
por otros más fuertes, más ajustados, más originales o
mejores. Sólo háganoslo saber en **feedback@youcat.org**.

#YOUCATChallenge: Comparte tu experiencia en Facebook o
Instagram.

Pregúntale a una persona de tu alrededor cómo reconoció a Dios en su
vida y comparte lo que has escuchado en la próxima reunión con tu
grupo de estudio.

¿Aceptas este desafío?

Guía de Estudio YOUCAT

Índice de nombres

Índice temático

Relación de todas las preguntas del YOUCAT